BUILDING THE 1/700scale
WARSHIP MODELS Ship modeling techniques & tips

艦船モデル

超絶製作テクニック

大渕克 著

Hobby JAPAN

BUILDING THE 1/700scale WARSHIP MODELS Ship modeling techniques & tips

艦船モデル 超絶製作テクニック

［作品ギャラリー］

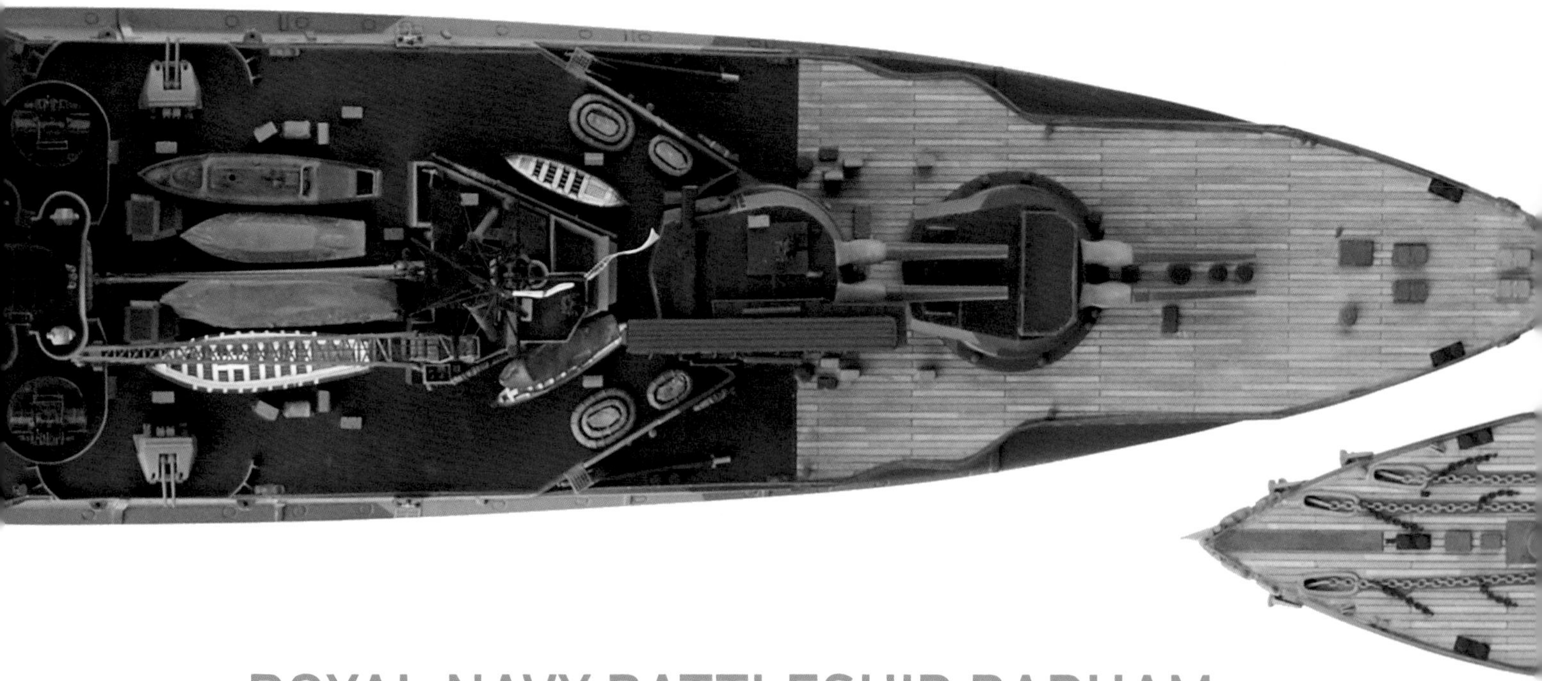

ROYAL NAVY BATTLESHIP BARHAM

Central Mediterranean, 25 November 1941

海狼の牙に斃《たお》れた歴戦の大英帝国高速戦艦

イギリス海軍
戦艦 バーラム

地中海中部、1941年11月25日

明治時代より日本海軍の師ともいえる存在だったイギリス海軍。戦艦「三笠」や「金剛」などの技術的な源流でもあり、イギリス艦艇も比較的親しみやすい存在といえるが、1/700モデルでもキット化が相次いでおり、モデラーの興味も増しつつある。第二次大戦で英戦艦の主力となって活躍したクイーン・エリザベス級の一艦「バーラム」を、ピットロードのキットをベースに、細部装備の考証から迷彩塗装の色彩に至るまで徹底的に工作。1/700スケール艦船模型の基本をひたすら積み重ねることにより、地中海で爆沈した「バーラム」真実の姿に極限まで接近してみた。

イギリス海軍 戦艦 バーラム
実艦解説

ROYAL NAVY BATTLESHIP BARHAM REAL HISTORY

文／竹内規矩夫
写真／US Navy

▲第一次大戦中の1917年、スカパ・フロー軍港に碇泊する「バーラム」。ステレオ式測距儀による照準を妨害するため、第1および第2煙突の間に三角形の幕を張り不定形な形状に欺瞞している

不運の戦没艦

第二次大戦のイギリス海軍におけるクイーン・エリザベス級戦艦は、第2次ナルヴィク海戦、マタパン沖海戦、ノルマンディー上陸作戦など数々の作戦で武勲を立てた「ウォースパイト」を筆頭に最も活躍した戦艦群といってもよいだろう。「バーラム」もまたその例に漏れず、北大西洋や地中海での戦いで時には傷つきながらも果敢に戦った。しかし1941年11月、「バーラム」はドイツ海軍の潜水艦の餌食となり、クイーン・エリザベス級5隻中の唯一の戦没艦となった。その沈没の様子はフィルムに収められ、現在でもその壮絶な最期を見ることができる。

クイーン・エリザベス級の特徴

第一次大戦直前の1915年から1916年にかけて建造されたクイーン・エリザベス級戦艦は、前級のアイアン・デューク級から2つの点で大きく進歩した戦艦だった。

まず第一に、主砲口径を38cm（15インチ）に拡大したこと。それまでのイギリス戦艦の主砲は34cm（13.5インチ）だったが、1911年起工の金剛型巡洋戦艦や扶桑型戦艦（日本海軍）、ニューヨーク級戦艦（アメリカ海軍）はすでに36cm（14インチ）砲を採用、直接のライバルであるドイツ海軍が建造中のケーニヒ級戦艦も36cm砲を採用した（実際は30.5cm砲だった）という情報を得ていた。この状況に鑑み、まだ38cm砲は開発途上だったにもかかわらず建造に踏み切り、結果的に大成功を収めること

になる。

第二は、従来の戦艦よりもスピードを高めたこと。砲弾重量が大きい38cm砲を搭載したおかげで砲塔数が5基から4基に減少、その余剰部分を機関出力の増大と軽量化に充て、既存の戦艦より4ノット優速な25ノットの高速を達成。第一次大戦ではドイツ海軍の“大海艦隊”に対し運動性で優位に立つことができた。また後発のロイヤル・ソヴリン級よりも高速だったことが幸いし、第一次大戦以降も長きにわたって主力戦艦として運用可能となったのである。

イギリス海軍は1912年から1913年にかけて「クイーン・エリザベス」、「ウォースパイト」、「ヴァリアント」、「バーラム」の4隻を発注、さらにマレー連合州（現在のマレーシアおよびシンガポール）からの献金で「マレーヤ」が追加された。1914年には6番艦「エジンコート」も予定されていたが、第一次大戦勃発のため取り止めとなったため、最終的にクイーン・エリザベス級戦艦は1916年までに合計5隻が竣工している。

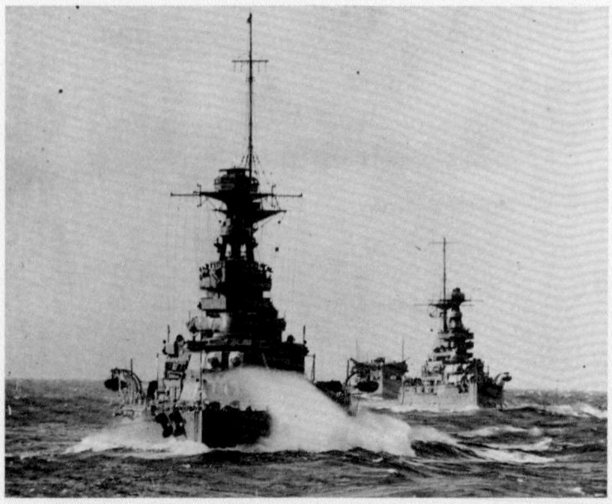

◀1920年代後期、西地中海のバレアレス諸島付近を航行する「バーラム」。後続は同型艦「マレーヤ」。「クイーン・エリザベス」級のこの2艦のみは最後まで艦橋の改正は行われなかった

「バーラム」の戦歴

「バーラム」はクイーン・エリザベス級の4番艦として1913年2月24日にジョン・ブラウン造船所で起工、第一次大戦勃発後の1914年12月31日に進水。1915年10月に就役し、すぐに“グランド・フリート”（イギリス海軍の連合艦隊）の第5戦隊旗艦として編入、入渠中の「クイーン・エリザベス」を除く同型艦4隻の

編成で1916年5月31日のユトランド沖海戦に臨んだ。同海戦ではビーティ提督率いる巡洋戦艦部隊とともに戦闘に参加、主力の巡洋戦艦「インディファティガブル」など3隻が沈没する死闘の中、「バーラム」も大口径砲弾5発が命中する損傷を受けた。

第一次大戦終結後「バーラム」は大西洋艦隊、地中海艦隊を歴任後、1930年12月から約3年間にわたる大改装を行い、舷側にバルジを付加、水平防御装甲の増厚、艦橋の近代化、対空兵装の強化などが施された。改装後の1934年からは本国艦隊、1939年9月の第二次大戦勃発時は地中海艦隊に所属していた。

開戦後「バーラム」は本国艦隊に戻り、北大西洋輸送船団の護衛任務に従事する。1939年12月28日、スコットランド北西のヘブリディーズ諸島沖を巡洋戦艦「レパルス」および駆逐艦5隻と行動中、ドイツ海軍のUボートVIIA型「U30」の雷撃を受けたが自力で帰投、3カ月の修理後、1940年9月下旬のダカールの戦いに参加する。沿岸砲からの砲撃を受けつつもダカール港に在泊していたフランス戦艦「リシュリュー」に主砲弾2発を命中させ、潜水艦攻撃で被雷した戦艦「レゾリューション」を曳航し帰投した。

1940年11月からは地中海艦隊に編入、「ウォースパイト」、「ヴァリアント」などとともにマルタ島輸送作戦、トリポリ港砲撃などに参加。特に1941年3月28日夜のマタパン岬沖海戦では「バーラム」以下戦艦3隻の砲撃でイタリア重巡「フィウメ」、「ザラ」などを撃沈する戦果を挙げている。1941年5月末のクレタ島の戦いではドイツ空軍Ju87スツーカの攻撃で砲塔に被弾したが、8月に再び地中海の戦いに復帰している。

「バーラム」の最期

1941年11月25日、ベンガジ近海のイタリア軍輸送船団攻撃のためアレクサンドリアを出港した「バーラム」、「クイーン・エリザベス」、「ヴァリアント」および駆逐艦8隻は、対潜警戒を行いつつリビア沖を単縦陣で航行していた。しかしこの警戒線を突破したドイツ海軍のUボートVIIC型「U331」は、縦列の2番

▲1930年代中期、大改装を終えた後の「バーラム」。両舷側にバルジを追加し水中防御を強化するとともに各部を近代化し、第1煙突を屈曲させて第2煙突と一体化させるなど、外観が大きく変化している

手に位置する大型艦、すなわち「バーラム」に魚雷を発射した。

16時25分、「バーラム」の左舷、煙突と3番砲塔の間から大きな爆発と水柱が上がり、数秒後にさらに2回の爆発が続いた。計3発の魚雷が命中し、水柱と水煙が収まった時には「バーラム」はすでに左舷に急傾斜していた。16時30分、「バーラム」はゆっくりと横倒しに海面に没しながら4分後に大爆発を起こした。この最後の爆発は、左舷の高角砲弾庫で起こった火災が主砲弾庫に引火したためといわれている。乗組員は396名が救出されたが、艦長を含む862名は艦とともに帰らぬ人となった。

◀1941年11月25日、ドイツ海軍のUボートVIIC型「U-331」の雷撃により爆沈する「バーラム」。左舷側の中央部に3発の魚雷が命中、わずかな時間のうちに横倒しとなり沈没する映像が撮影されている

当初「バーラム」撃沈に気づかなかったドイツは数週間後に至りその事実を確認、それに応じてイギリス海軍省から1942年1月27日に「バーラム」沈没が正式に発表された。

◀1940年頃、地中海を航行する「バーラム」。戦前は507Cの単色だったが、第二次大戦勃発後は写真のように507Cおよび507Bの明暗グレー2色による迷彩が施されていた(写真/Arthur Conry)

「バーラム」への想い

「バーラム」はクイーン・エリザベス級戦艦の3番艦として1915年に竣工しました。私の大好きな戦艦のひとつです。ただ、ネームシップである「クイーン・エリザベス」、あるいは「ウォースパイト」の名前は聞いたことがあっても「バーラム」についてはあまりピンと来ない人のほうが多いかもしれません。

ではなぜ「バーラム」に興味を持ち、製作に至ったかというと、まず単純に三脚構造の艦橋に魅かれたからです。同じような構造の艦橋を持つ艦は他にもありますが、中でも「バーラム」が一番格好いいと感じました。興味を持ち始めてからネットでいろいろ調べてみると、現在出回っている資料とキットは実物とは異なる点が多いことがわかり、さらに興味が増していきました。

「バーラム」は1941年11月25日にドイツ潜水艦「U-331」の雷撃により戦没しました。横転し、激しく爆発しながら沈んでゆく姿が映像として残されています。これにより多くの乗組員が命を落としたわけですが、彼らが運命をともにした船が、正しい姿で伝えられていないのは、どうにも忍びないと感じました。そこで少しでも本来の姿を再現しようと思い、今回の作品製作に至ったわけです。

資料収集

残念ながら「バーラム」の公式図面は入手することが出来なかったので、改造を加えた部分の形状・寸法はすべて私が写真を見て判断したものです。「バーラム」の資料としては、洋書になりますが、「Ship Craft No.15 - Queen Elizabeth Class Battleships」

イギリス海軍 戦艦 HMS バーラム

地中海中部、1941年11月25日

ROYAL NAVY BATTLESHIP HMS BARHAM

Central Mediterranean, 25 November 1941

【製品データ】
◆イギリス海軍戦艦 バーラム 1941
◆発売元／ピットロード
◆5200円＋税、発売中
◆1/700、約28.1cm
◆プラキット

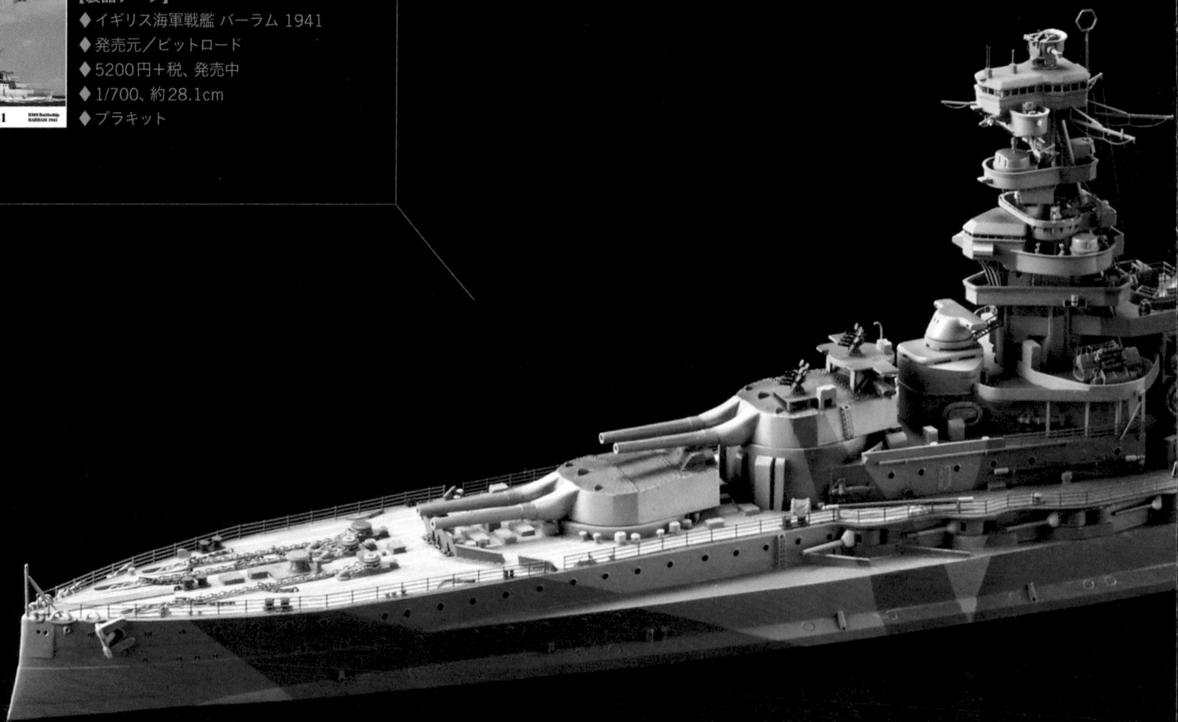

(Seaforth刊)と「Profile Morskie No.44 - HMS Barham」(BS刊)があり、今回の製作にも使用しましたが、掲載されている図面は実物と異なっている点が多く、作成者の推測と想像が多く含まれている感が否めないものの、各構造物配置のバランスを判断するにはいいと思います。掲載されている写真にはネットの画像検索では出てこないものもあるので、そちらも参考になると思います。

また「バーラム」の資料ではないですが、「Anatomy Of The Ship The Battlecruiser Hood」(Conway刊)との「British Warships Of The Second World War」(Naval Institute Press刊)も参考にしました。これらは、構造物のサイズや艤装品の形状を知るのに役立ちます。

ウェブサイトでは「BARHAM Association」(http://www.hmsbarham.com/)が、ここでしか見られない画像を多く掲載しているので大変役立ちます。「バーラム」が沈没する時の映像は、検索でもたくさん出てくるのですが、その中でもGIFアニメーション形式で掲載されているものが参考になります。解像度こそ400×195ピクセルと低いですが、他の動画のように圧縮による輪郭のボケがないので見やすいです。こちらは動画ではなく、画像でファイル形式を指定して検索するとすぐ出てきます(検索ワード「hms barham」、ファイル形式「GIF」)。

「バーラム」に限らず英国海軍艦艇の模型製作に大変役立つサイトとして「On The Slipway」(http://ontheslipway.com/)があります。高解像度の画像が多数掲載されており、必ず押さえておきたいサイトです。

前置きが大変長くなりましたが、ここから本題に入ります。なお細部については製作画像およびキャプションに場を譲り、こちらの本文では大まかに説明していきます。また、文中の「資

料」とは前述の「Ship Craft〜」と「Profile Morskie〜」の資料を指しています。

船体と甲板

まず船体についてですが、舷窓のモールドはいったん伸ばしランナーで埋め戻してからドリルで彫り直しました。実艦では艦首部分で舷窓の並びが上下2段になっているのですが、資料の図では上段しか描かれておらず、キットパーツも同様になっています。

次に甲板について。これを発見したときには自分でも驚いたのですが、実は「バーラム」の甲板は大部分が木甲板ではなく、木甲板なのは艦首と艦尾のみです。このことは「BARHAM Association」に掲載されている画像で確認できます。1937年、まだ高角砲が単装だった頃に艦中央部で撮影された画像ではすべて木甲板です。しかし、同じく単装高角砲が写った画像でも、途中から木甲板ではなくなっていることがわかる画像がありました。調べてみると、連装高角砲が装備されたのが1938年とあるので、1937年から1938年にかけて甲板の改装が行われたようです。

改装後の甲板を再現するため、作例では甲板パーツのモールドをすべて削り落とし、木甲板ではないエリアのスジ彫りモールドを瞬間接着剤(通常タイプ)で埋めました。ここで読者の方々は「なぜパテを使わないのか?」「透明だと見づらいのではないか?」などと疑問を持つかもしれません。個人的には、パテについてはラッカーパテと溶きパテを使ったのが今まで数回程度で、ポリパテは一度も使ったことがありません。瞬間接着剤を使う理由としては、「硬化時間が短いこと」、「プラへの喰いつきがよいこと」、「強度が高いこと」などがあります。透明であることをデメリットと感じる方もいるかもしれませんが、透明だと埋めたキズやヒケが見えて、どれだけ削ればよいか確認しやすいので、自分としてはメリットだと思っています。硬化時の白化も、硬化スプレーを軽く吹き付けたティッシュの

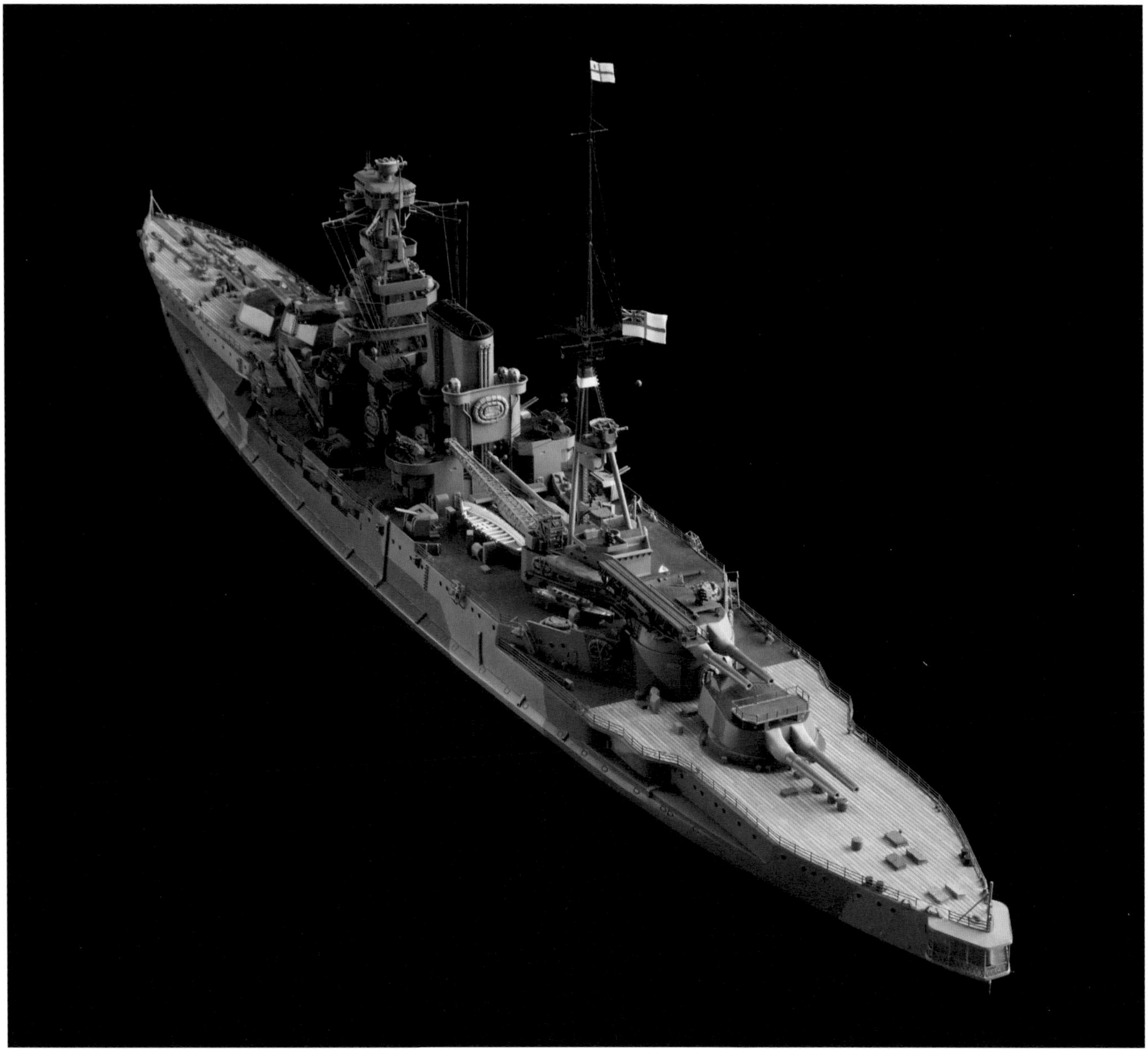

上に、直接触れないようにパーツを置いておけば、白化させることなく硬化させることができます。

艦 橋

艦橋ではすべてのパーツに改造・修正を施しています。まず資料の図面では八連装ポンポン砲が設置されたフラットのアウトラインは、ふたつの大小の弧を組み合わせた蝶の羽の様なラインになっているのですが、これは誤りです。この点、キットパーツは実物に近いラインになっています。ただ、「BARHAM Association」のサイトに掲載されている、艦橋を正面から写した画像を見ると、フラットは何本かの細い支柱で支えられています。パーツでは支柱がいらない程度の張り出しになっているので、ここはもっと幅があるのではないかと思い、作例ではプラ板で拡張しました。

キットでは射撃指揮所（艦橋トップの構造物）両側の張り出しが再現されていません。また、資料の図面では、側方に取り付けられているヤードは真っ直ぐ横に伸びていますが、実際には後退角が付いています（真っ直ぐ横に伸びているのは2本煙突だった頃の形状です）。キットではヤードは省略されているのですが、それらを取り付ける射撃指揮所を支える三角プレートの組み合わせが資料図面と同じ形になっているので、パソコンで設計し直して、プラ板で作成しました。ちなみに姉妹艦である「マレーヤ」は、横から真っ直ぐヤードが伸びた状態が最後まで変更されなかったようです。ここでひとつ残念ながら、製作に集中するあまり、艦橋パーツの多くの部分の製作画像を撮り忘れてしまいました。申し訳ありませんが、完成写真から読み取っていただければ幸いです。

煙突

　続いて煙突周りについて。ここは製作画像を見ていただけるとわかるのですが、プラ材で大幅に修正しています。主なポイントを挙げると、ライフラフトが取り付けられているトラス部分は、最終時では後方へとさらに拡張。また両側の八連装ポンポン砲の台座も、台座の下に角張った張り出しが追加されています。

　後部艦橋についてはかなり悩みました。左右で形状が異なっており、最終時の状態を判断するための画像も少なかったからです。正直なところ、ここについては自信がありません。なおクレーンなのですが、エッチングパーツが利用できるかと思いましたが、ブームの長さが足りなかったためけっきょく自作しました。クレーンは、非使用時はブームの先端を前方にあるポンポン砲の台座上に固定するようになっているのですが、資料図面に描かれたクレーンブームでは台座に届かず、キットパーツでもそれに倣っています。

　中央部に積載されている艦載艇の種類については、後部艦橋よりもさらに自信がありません。沈んでゆく時の映像で一番左に載っているのは、「42フィート帆走ランチ（42ft Sailing Launch）」のようですが、それ以外は、何が何だかわかりません。奥のほうに、なんとなく煙突の様なものが見えたので、「50フィート蒸気ボート（50ft Steam Pinnace）」を載せました。ただし1940年に艦中央部で撮られた音楽隊の集合写真では、並んでいる人の背後に内燃機関のモーターボートが写っているので、この頃には蒸気船タイプの艦載艇は積まれていなかったのではないかとも想像します。

兵装

兵装についてですが、実物の画像や動画を丹念に見ていくと、12.7mm四連装機銃の台座形状も資料とは異なっていることがわかりました。すべてを説明するとあまりにも長くなるのでひとつだけ説明すると、資料の図面とキットでは、Y砲塔(四番砲塔)上にあたかも機銃を設置するような台座がありますが、これは必ずしも機銃用の台ではありません。画像検索で「バーラム」、「クイーン・エリザベス」、「ヴァリアント」の3艦が縦に並んで航行する姿を後方から写した画像を発見しました。これを見ると、Y砲塔の上に白く横に長いものが積まれているのが確認できます。何かがキャンバスで覆われているようにも見えるのですが、けっきょく何であるか結論付けることはできませんでした。1930年代に撮られた画像では、Y砲塔のすぐ後方にキャンバスを被った舷梯が置かれているのが確認できるので、ひょっとしたら舷梯ではないかと思いましたが、わざわざ舷梯を砲塔上に格納する理由が見つかりません。

主砲のパーツは、「バーラム」に搭載されているものとタイプが違っています。「バーラム」は仰角20度の前期型なのですが(「マレーヤ」も同じ)、パーツは塔型艦橋へと改装された姉妹艦に搭載されている仰角30度の後期型タイプになっています。見た目の違いは、砲身が出ている部分の上部が、後期型では盛り上がっている点となります。

迷彩塗装

ここまでくると「また資料が間違っているのだろう」と思われるかもしれませんが、ズバリその通りです。ウィキペディアにも掲載されているので、見たことがある方も多いと思います

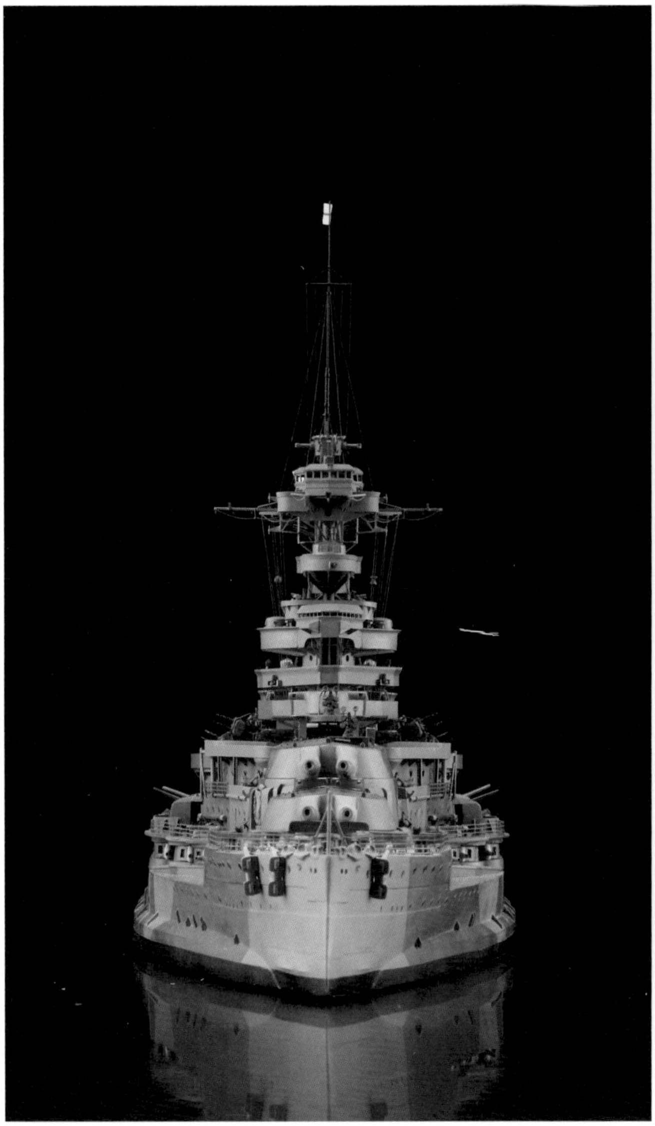

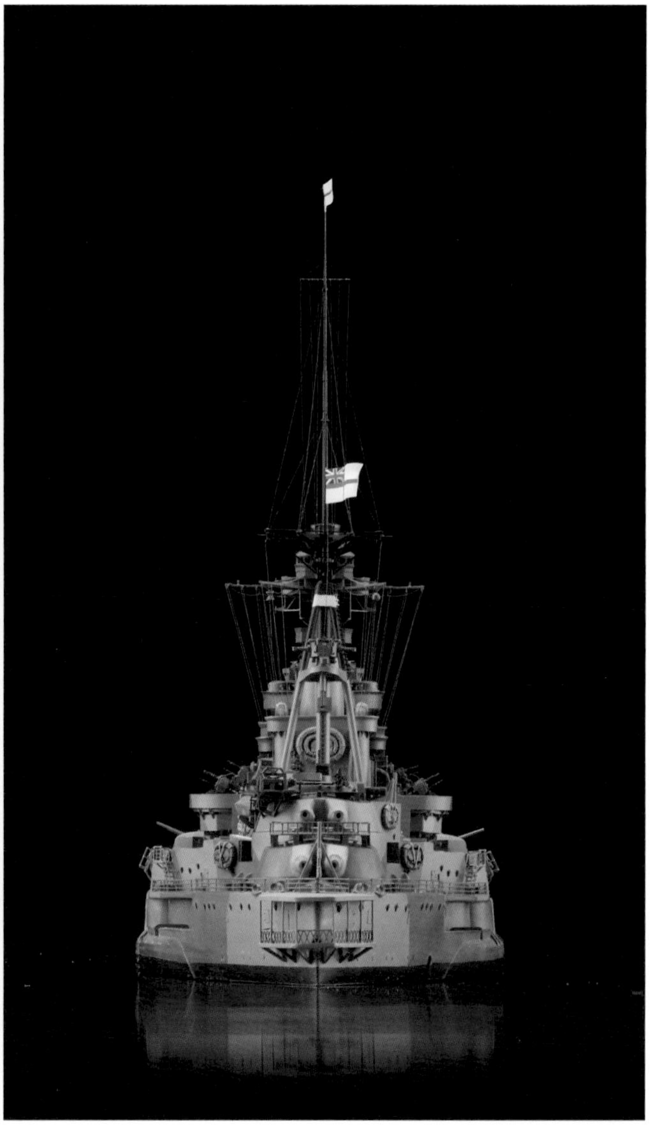

が、迷彩塗装を施した「バーラム」の姿を最も鮮明にとらえた画像があります。右舷後方から写されたもので、明るいグレーは507Cライトグレー、濃いグレー部分は507Bミディアムグレーとされています。

資料とキットの塗装図で問題があるのは艦橋部分です。塗装図では、艦橋は507Cをメインに、横から見て中央縦に帯状に507Bでラインが入っており、確かに画像は一見そのように見えなくもありません。しかし、実際には前側約3分の2が507C、残りの後ろ側約3分の1が507Bとなります。この画像では、左舷後方から日光が強く当たっているため、光が当たって明るくなった艦橋背後の507Bと、日陰になって暗く写った艦橋右舷側の507Cが偶然にもほぼ同じ明度に見えてしまい、これが原因で資料の塗装図は間違ってしまったものと思われます。艦橋の各階層の狭い範囲だけ見ていると気が付きにくいですが、艦橋全体を視野に入れるように眺めてみると、艦橋後部全体は507Bで塗られているのだとわかります。

最後に

この「バーラム」の製作には600時間以上も費やしてしまいました。ここまで実物とキットが異なっているというのは稀なケースですし、一次資料がなく、形状・寸法を決めるのに時間がかかったというのが大きいです。正直製作中は悩んでばかりで、あまり楽しくはありませんでした。強いていうならば、画像を見ていて次々と新しい事実を発見したときは楽しかったです。完成したときは達成感もありました。でも後の章で紹介するフライホークのビスマルクで痛感しましたが、やはり完成度の高いキットがあったほうがよいに越したことはないというのが結論です。

船体・甲板の工作

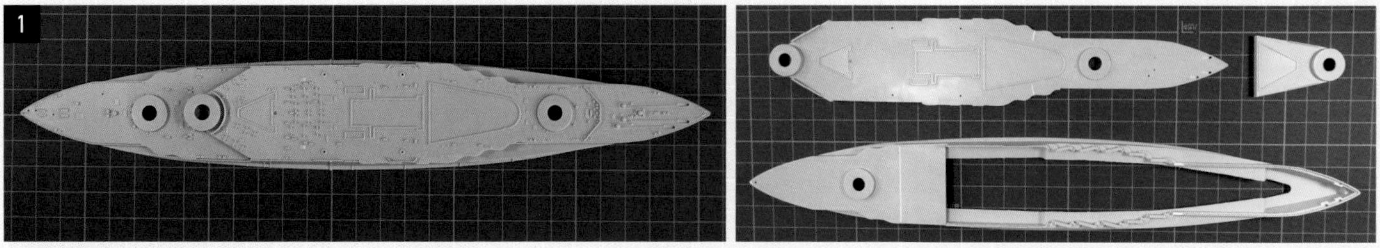

▲後から装備品の配置が確認できるようにパーツを撮影してから、ほぼすべてのモールドを削り落とした。木甲板ではない部分のスジ彫りモールドは瞬間接着剤で埋めて修正。写真左が元の状態、右が修正後の状態

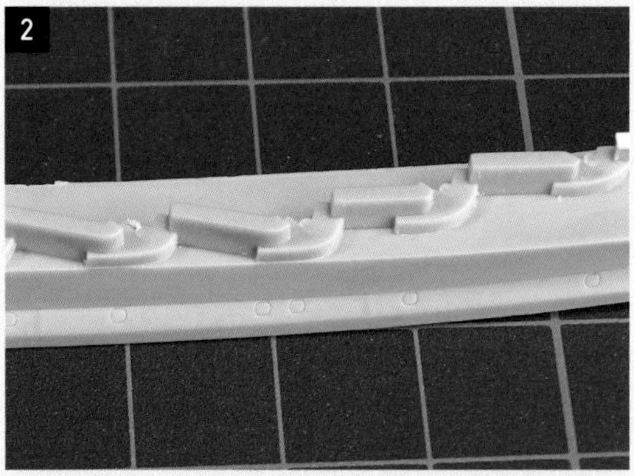

◀副砲パーツは後から取り付けられるように、船体側のパーツ取り付けダボは切り落としておいた

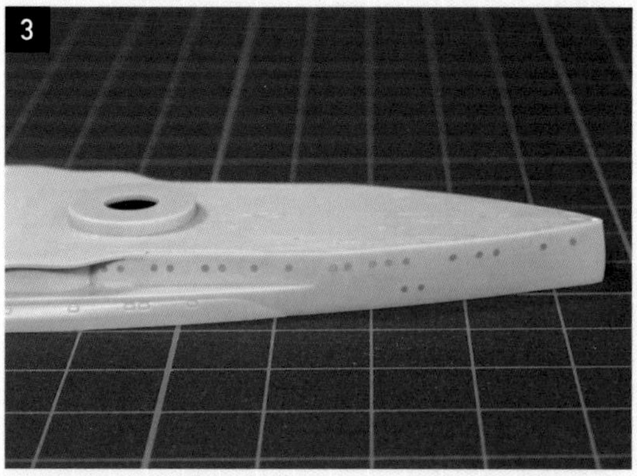

◀船体側面の舷窓のモールドは、すべて伸ばしランナーで埋めてから、実物の画像を参考にドリルで彫り直す。丸窓のサイズは「ウォースパイト」の公式図面を基に0・6㎜径とし、艦首の一部にある小さい丸窓は0・4㎜径とした

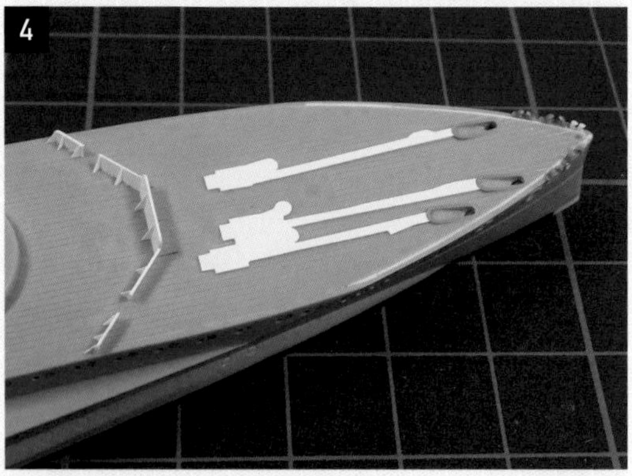

◀錨鎖導板と波除けプレートはエバーグリーンの0・13㎜厚プラ板を切りぬいて作成。後になって気が付いたのだが、左右のプレートは中央にあるキャプスタン周りのプレートを介してすべてつながっている

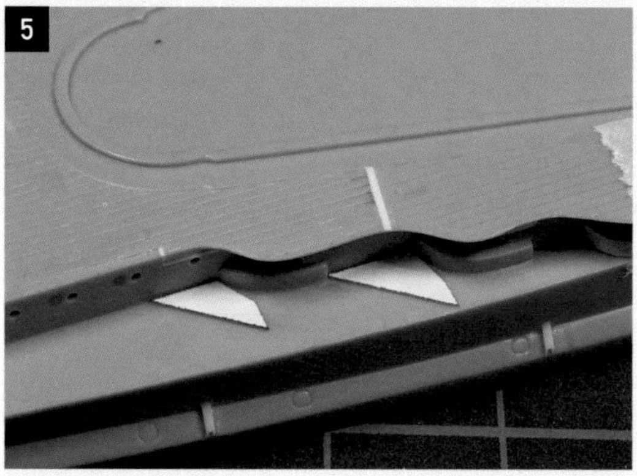

◀キットでは再現されていないが、1番から4番副砲の前には波除けがある。まず、左右ともに位置・角度を合わせるためのガイドをパソコンで作成

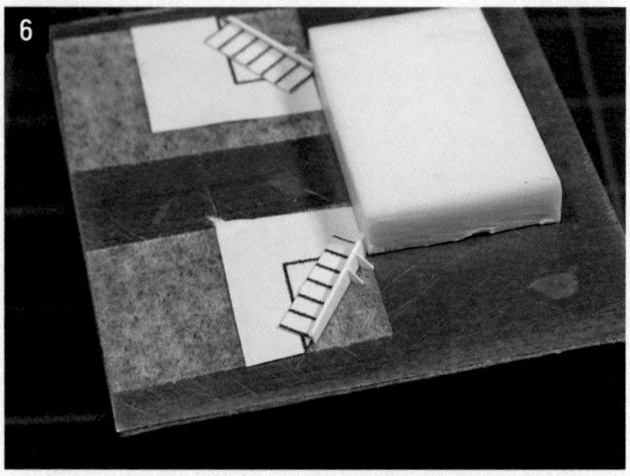

◀波除けの立ち上がりは垂直ではなく、前方に傾斜して取り付けられており、また複数枚の三角プレートで補強されている。パソコンで作成したガイドをもとに左右対称に組み上げてから、船体に接着した

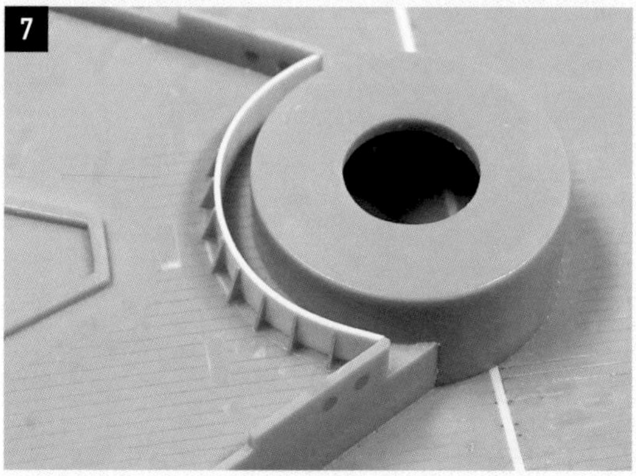

◀主砲バーベットとシェルター甲板を隔てているブルワークは、木甲板モールドを埋めるためにいったん削り落としてから、0・25㎜厚プラ板で作り直し。建造中のX砲塔（後部の三番砲塔）周りを撮影した画像を参考に三角プレートを取り付けた

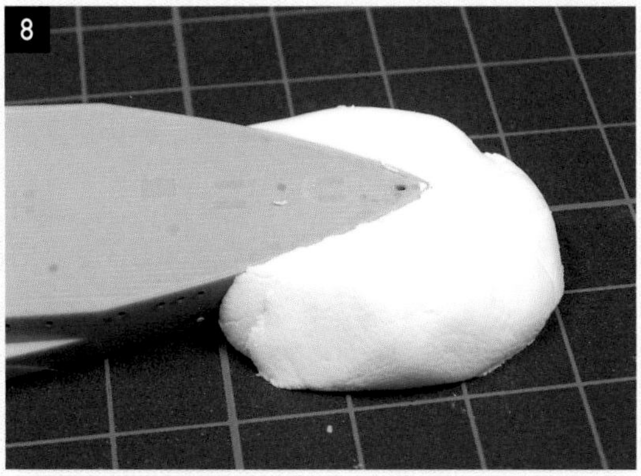

8 ◀艦尾のスターンウォークを作り直し。スターンウォークの床形状を確認するため、紙粘土で型を取っている

9 ◀型を取った紙粘土をスターンウォークの床がある付近でカットし、断面をマジックで塗ったところ。これをスキャナーでパソコンに取り込み、スターンウォークの型紙を作成した。ただし紙粘土はカットする時にポロポロと不規則な塊になって崩れてくるので、正直なところあまりお薦めできない

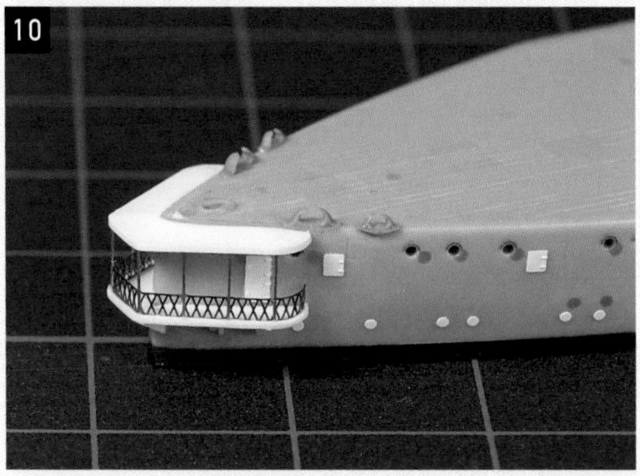

10 ◀スターンウォークが完成。手摺りにはゴールドメダルのエッチングパーツ「ＷＷII イギリス海軍 戦艦／巡洋艦用」（品番ＰＥ36）のパーツを使用した。屋根はキャンバストップではなくハードトップになっている

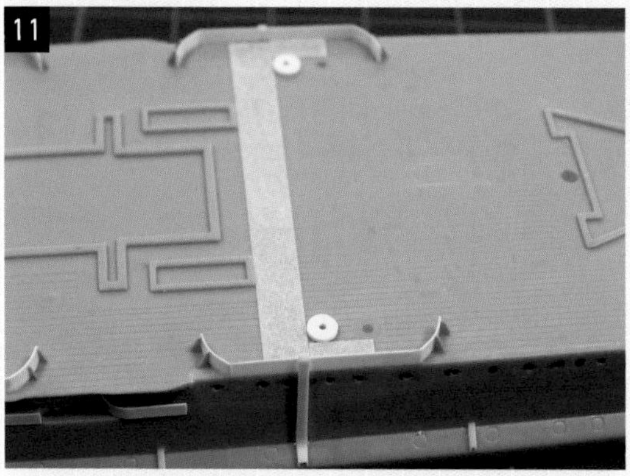

11 ◀連装高角砲の台座の位置決め。ここでは、ポンポン砲の台座パーツを取り付ける凸モールドを基準に、マスキングテープを使って位置を決めた

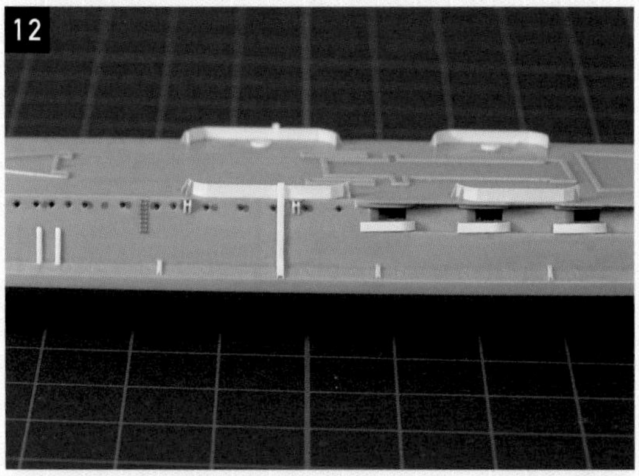

12 ◀ブルワーク、モンキーラッタル、汚水捨管などを取り付け、船体側面のディテール追加が終了。配管の位置は左右で異なっているところがあるので注意

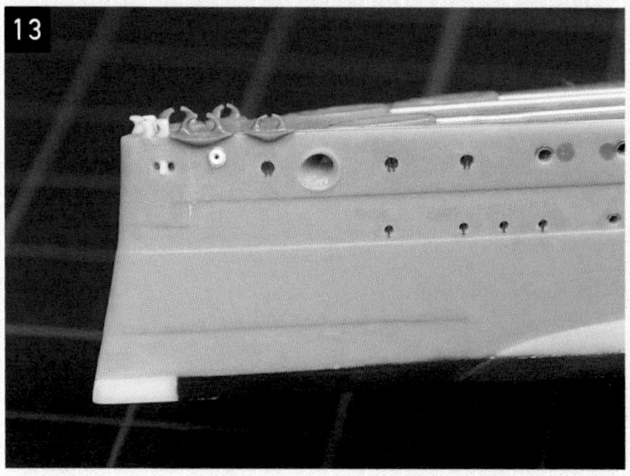

13 ◀艦首の窓は実物の画像を見ると縦に格子が取り付けられているので、伸ばしランナーで再現。フェアリーダーはファインモールドの「フェアリーダーセット」（品番ＷＡ26）に交換している

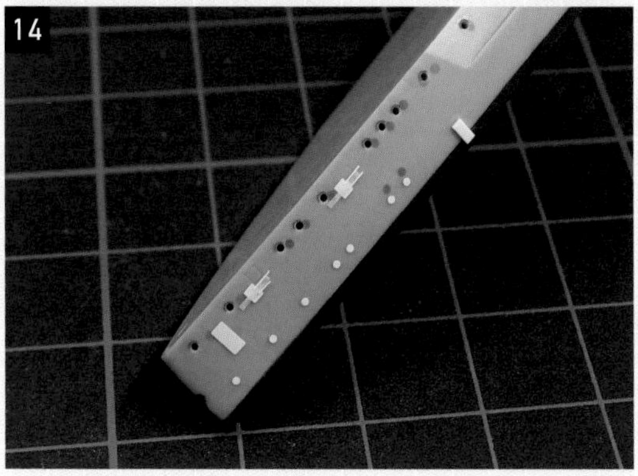

14 ◀丸窓の庇は赤い伸ばしランナーで作成。艦尾に見られる扉はタミヤの０・０５㎜厚プラペーパーで作成。マスキングテープはヒンジを取り付けるガイドとして貼っているところ。アイズプロジェクト「ミクロンマスキングテープ」には０・４㎜幅から２・５㎜幅の６種類のサイズがあり、正確な位置決めに重宝する

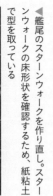

木甲板の工作

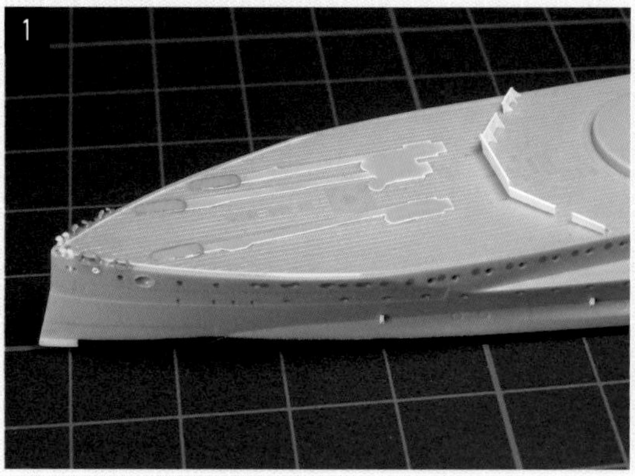

◀塗装を行う前に、錨鎖導板部分をマスキングゾルでマスキング。これは錨鎖導板とアンカーチェーンの色を塗り分けるために必要な作業で、アンカーチェーンを後から接着する時に、塗り重ねられた塗装が溶けて混ざり合うと仕上がりが汚くなってしまうため。ただし日本海軍艦艇のように軍艦色の単色で塗ってしまう場合にはこの様な配慮は必要ない

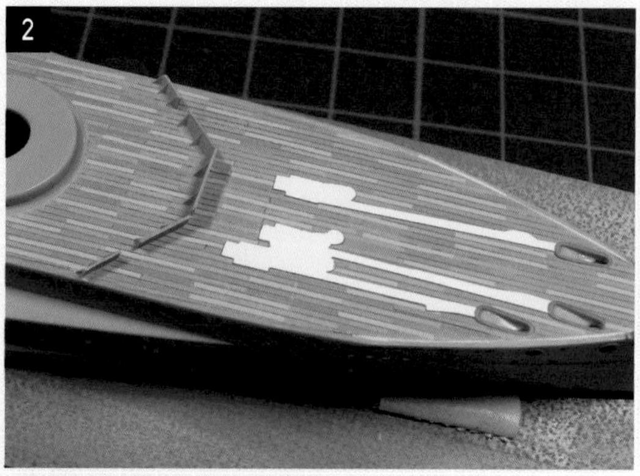

◀木甲板の基本塗装を終えた状態。なお後から手摺りを接着する甲板縁の部分も、マスキングを行ってから木甲板を塗装している

使用アイテム

◀木甲板のスミ入れはタミヤエナメルのXF57バフとXF-1フラットブラックを混ぜた色で行った。以前はレッドブラウンなど茶褐色系の色を混ぜていたこともあるが、ここ最近はこの様な色に落ち着いている。このままでも充分といえば充分であるが、板それぞれの色の境界がはっきりし過ぎていてやや不自然に感じるので、ここからさらに手を加える

◀綿棒に取ったGSIクレオス「Mr.ウェザリングカラー」を表面にランダムに擦りつけて、甲板に色ムラを加えた。カラーはWC04サンディウォッシュとWC07グレイッシュブラウンを使用。なお液状のままだとせっかくスミ入れしたスジ彫り部分にまで塗料が入り込んでしまうことがあるので、乾きかけの状態にしてから綿棒に付けている

使用アイテム

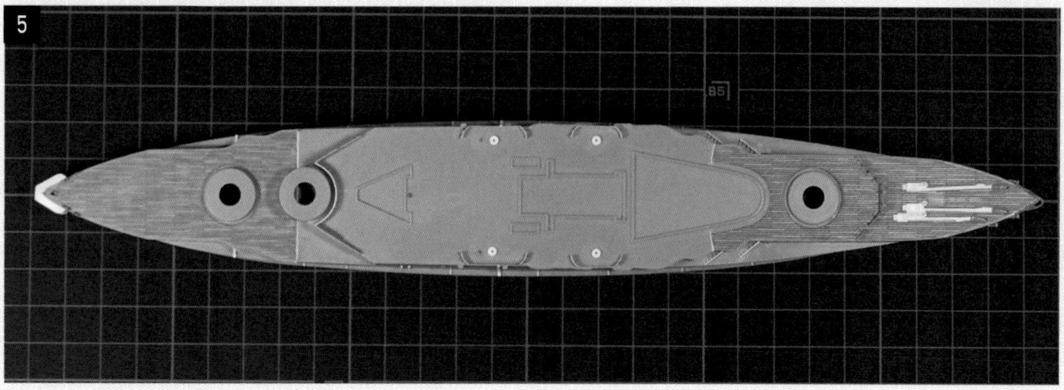

◀木甲板塗装が完了。木甲板の範囲が艦首尾のみとなっていることがよくわかると思う

甲板艤装品の工作

1

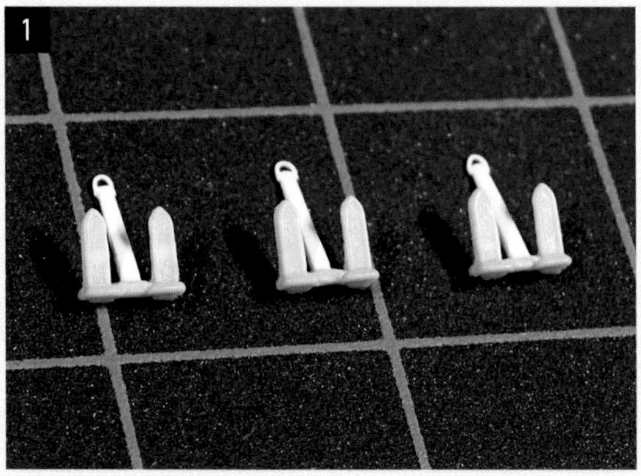

◀アンカーはキットパーツを改造しアンカーシャンクを取り付け。またシャンクが通るホースパイプは甲板までつながるようにしておいた

2

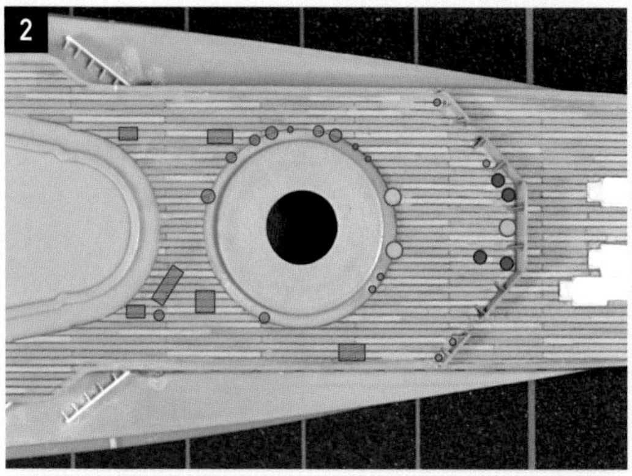

◀実物の写真を見ながら、パソコンで通風筒やハッチ、格納箱などの位置決めを行っているところ。サイズは「ウォースパイト」の図面も参考にしながら決定。この配置図を基に、甲板上の艤装品をプラ材で自作していく

3

◀プラ板から作成した各種ハッチや格納箱。主にエバーグリーンのプラ板を使用している。ヒンジや留め金部分はタミヤの0・05㎜厚プラペーパーで取り付けた

4

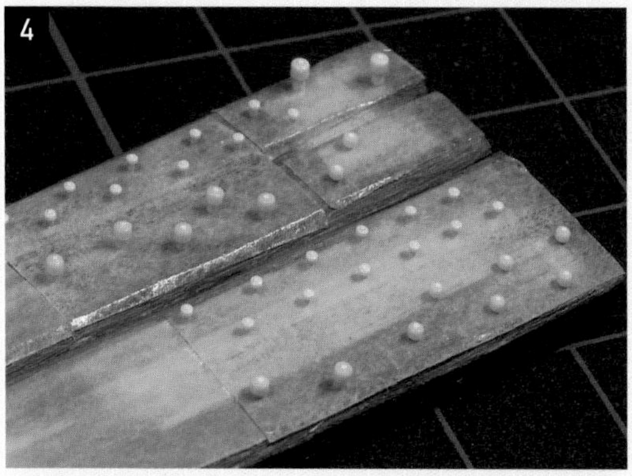

◀プラ棒から作成した通風筒。加工にはモーターツール（リューター）を使用している。通常リューターはドリルや研磨用のビットを取り付けて使うツールだが、筆者の場合は、プラ棒や真鍮線の加工のための簡易的な旋盤として使用することが圧倒的に多い

5

◀フェアリーダーは前述のファインモールドのパーツとプラ板を組み合わせ。プラ板とプラ棒で作成したボラード、艦首甲板にあるキャプスタンなども通風筒と同様、プラ棒の加工にモーターツールをフル活用している

6

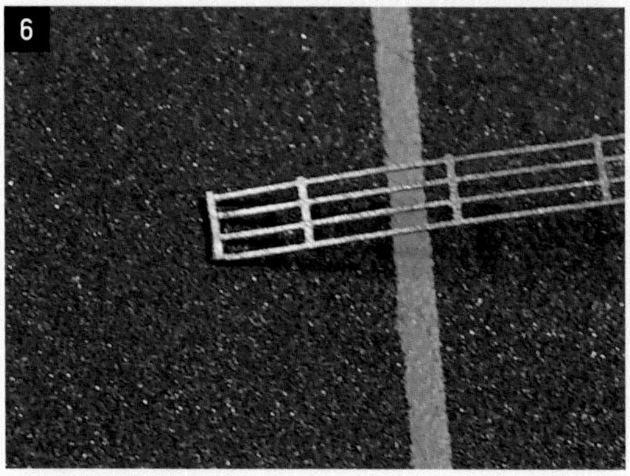

◀エッチングパーツの手摺りを切り出し。途中の位置でカットした部分には、金属棒で平たく加工した銅線を接着した

7

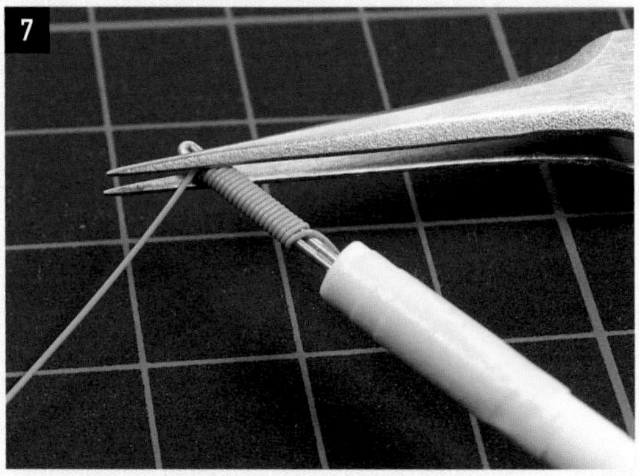

◀伸ばしランナーからアンカーチェーンを自作。伸ばしランナーを折り曲げた真鍮線に巻き付けて熱湯をかけ、水で冷やして形状を固定させる。ランナーの材質選択がポイントで、硬いプラだと真鍮線に巻き付ける時点で折れてしまう。今回使用したランナーはアカデミーのキットから切り出したものだが、残念ながら当たり外れがあり、火を当てるとブツブツと気泡が発生してしまう場合もあった。ここ最近の経験では、ピットロードの「大和」に使用されているランナーが柔らかく、アンカーチェーンの作成に適している感じだ

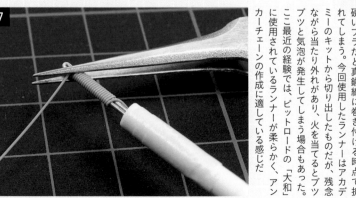

上部構造物・艦橋周辺の工作

1

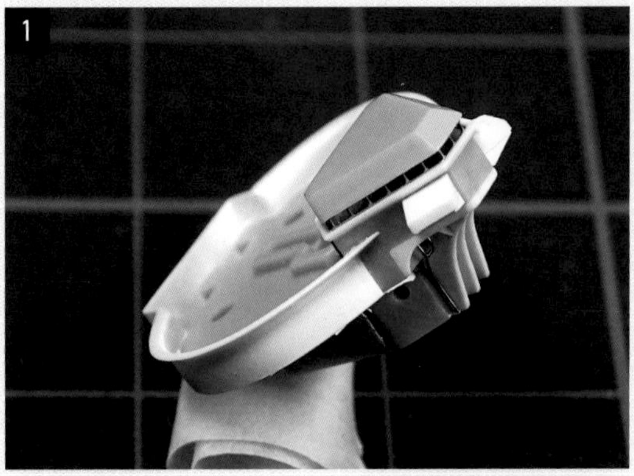

◀エッチングパーツで窓枠を取り付けた部分が羅針艦橋となる。前方に張り出しているふたつの箱状の物体は、他の戦艦の資料から判断してチャート・テーブル（内部に海図を置く台）と思われる

2

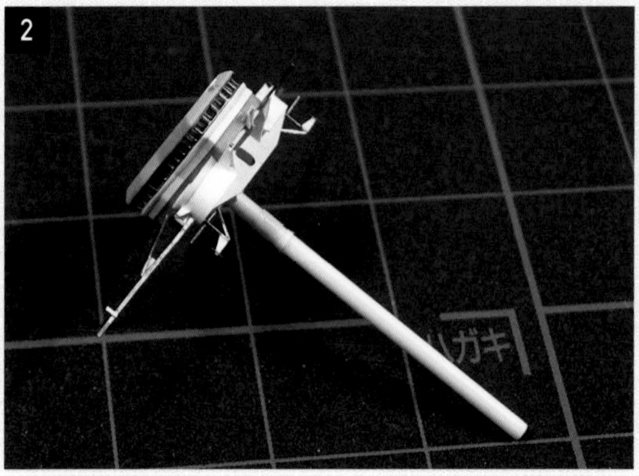

◀艦橋トップの射撃指揮所。キットパーツは上部のみ使用し、それ以外はプラ材に置き換え。左右の張り出しはＰＰＤ（ポンポン砲射撃指揮装置（Pom-pom Director））を配置する箇所と思われる

3

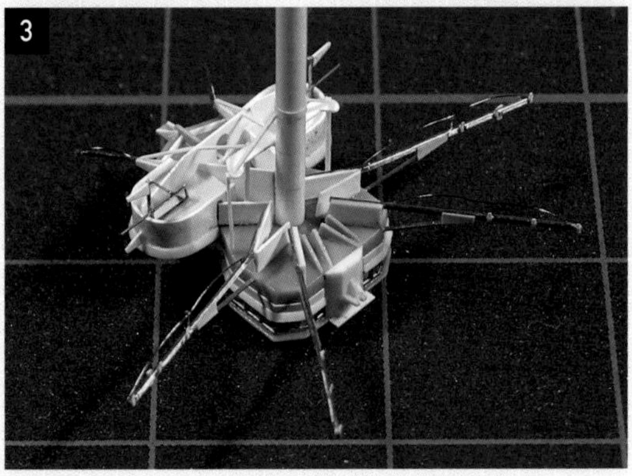

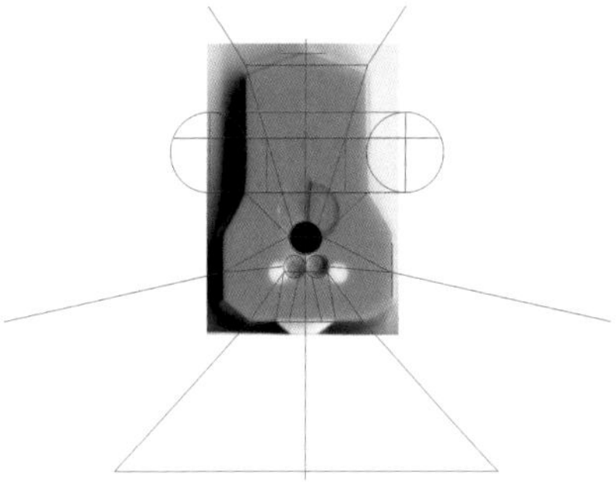

◀射撃指揮所下面の補強構造。資料は参考にせず、ヤードの取り付けを考慮してアレンジした。射撃指揮所のパーツをスキャンした画像を基に、パソコンで下面の補強プレートの配置を描いている。足掛けロープは携帯音楽プレイヤーのイヤホンコードから取り出した銅線を使用している

4

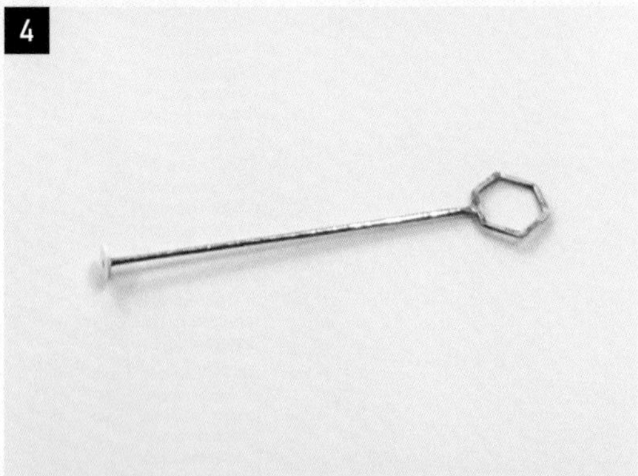

◀艦橋トップ後方に取り付けられたループアンテナは、０．２㎜径の真鍮線から作成。正六角形にするのはなかなか難しく、実際２度ほど失敗している

5

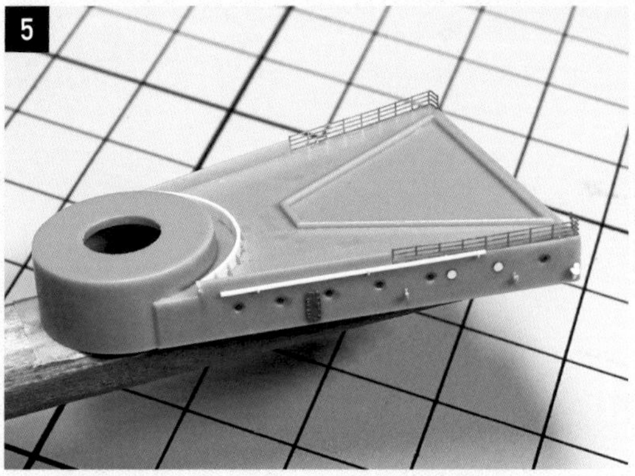

◀甲板上に限らず、上部構造物のハッチや格納箱のモールドもすべて削り落としてからプラ材で置き換え。水密扉はゴールドメダルのエッチングパーツ「ハッチ／ホース／救命リング」（品番ＰＥ22）を使用した

6

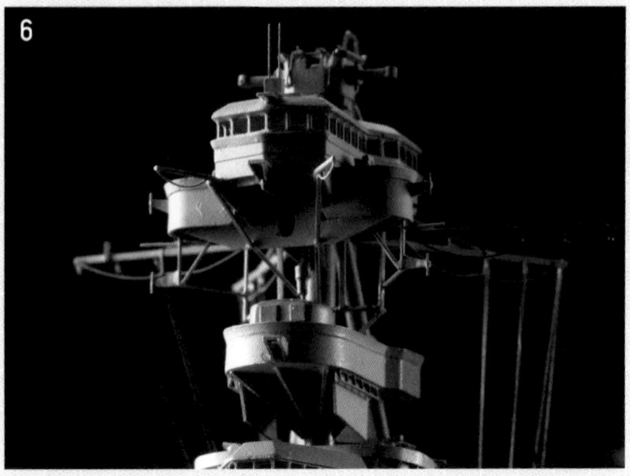

◀完成状態の艦橋を前方から見る。艦橋トップの射撃指揮所の平面形状、後退角の付いた側面のヤードなど、図面や実艦の写真を参考にすべてのパーツに改造・修正を施した。もちろんエッチングやプラ材によるディテール追加も行っている。艦橋の迷彩塗装は前側約３分の２が５０７Ｃ、残りの後ろ側約３分の１が５０７Ｂとなっており、射撃指揮所の天面も５０７Ｂで塗装されているようだ

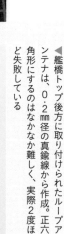

艦橋装備品の工作

自作した艦橋装備品の数々。キットパーツはざっくりとした形状なのでプラ材で自作したが、
資料が少ないため、KGV級などに装備された後期タイプの画像なども参考にしている

9フィート測距儀（推定）

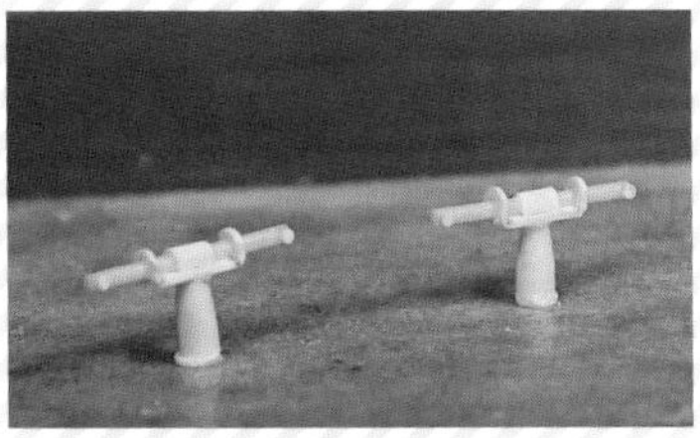

ADO（Air Diffence Officer）上空警戒士官用指揮装置

ALO（Air Lookout）上空見張装置

PPD（Pom-pom Director）ポンポン砲射撃指揮装置

HACS（High-Angle Control System）高射指揮装置

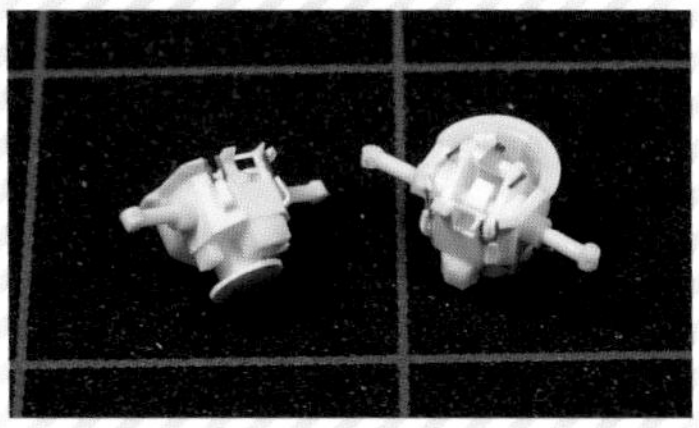

上部構造物・中央部の工作

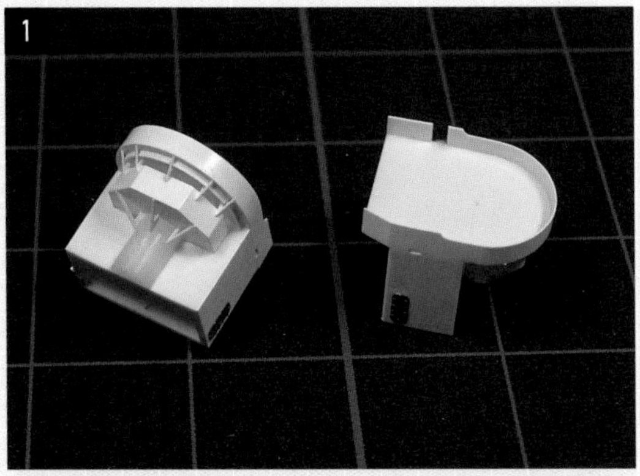

◀煙突両脇にある八連装ポンポン砲の台座。時期は不明であるが、八角柱を半分にしたような角張った構造が台座の下側に追加されている

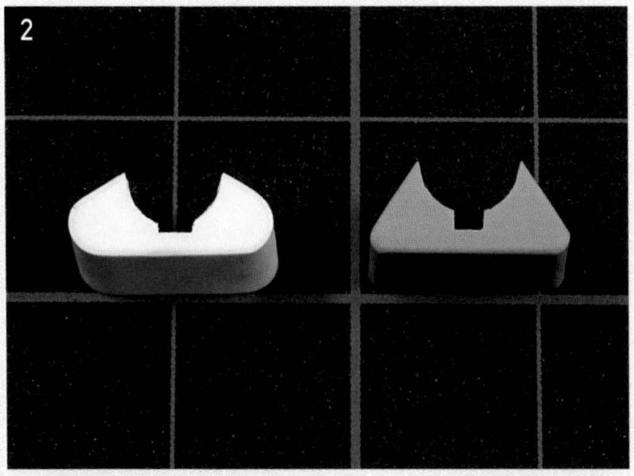

◀煙突後部にあるサーチライトの台座パーツは、Rが小さすぎると思ったのでプラ板で作り直した

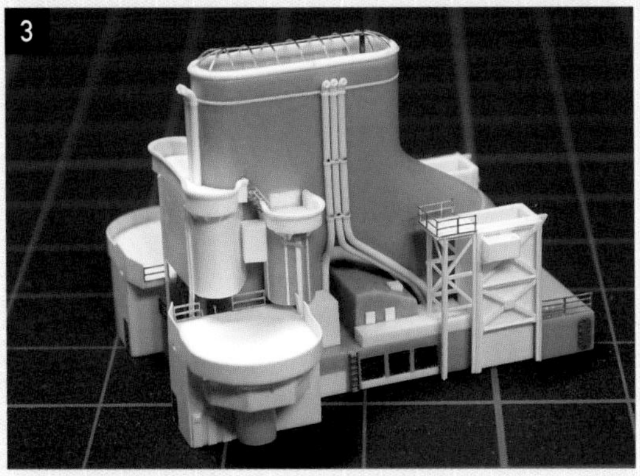

◀完成した煙突周り。作品の中で最も手を加えた部分かもしれない。排煙口の金網はキット付属のエッチングを唯一使用した部分

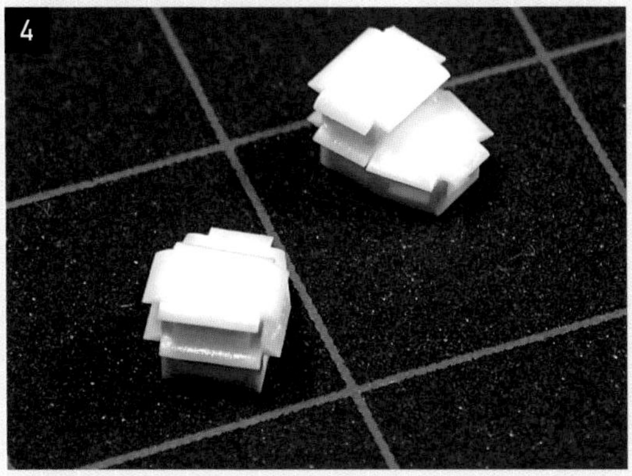

◀艦中央部にある構造物（缶室給気筒ではないかと考えられる）をプラ材で自作。実物の写真では、途中で切れて全体が写っていないため、形状は推定となっている。キットのモールドと資料図面では2本煙突時代の「クイーン・エリザベス」の上空写真に写っているタイプと同一なので、それを参考にしたものと思われる

上部構造物・後部の工作

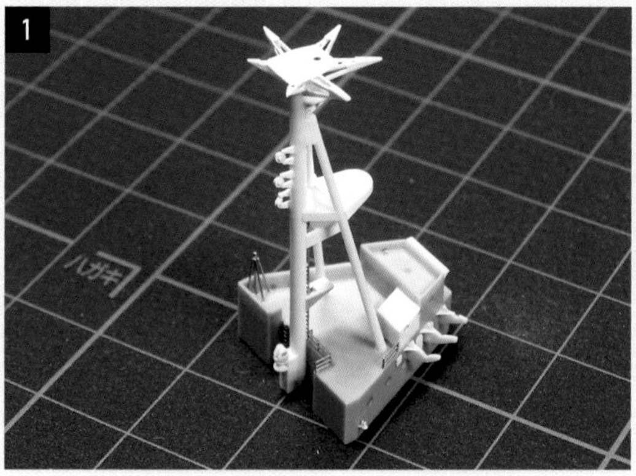

◀後部艦橋を製作中。注目点は、左舷側後方中段に艦載艇を載せるための台が設置されていること。１９４０年撮影とされる画像のいくつかに、ここにキャンバスで覆われたモーターボートらしきものが写っている

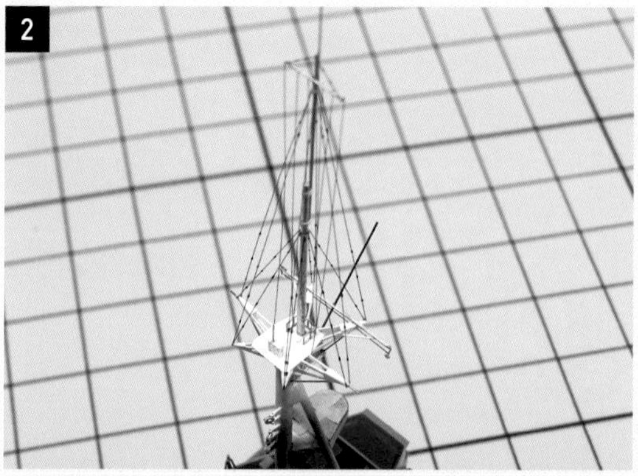

◀後部マスト。クロスツリーから上は真鍮線で作成。張り線はモデルカステンのメタルリギングを使用。ところどころに見えるガイシはウェーブ「黒い瞬間接着剤（高粘度タイプ）」（品番ＯＭ１２１）で表現している

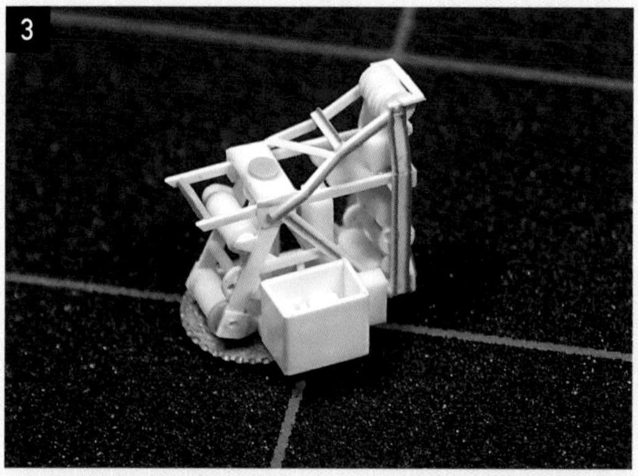

◀航空機揚収クレーンは、当初エッチングパーツを使用する予定であったが、ブームの長さが不足していることが判明し、基部を含めてプラ材による自作に変更。基部の旋回用歯車部分のみエッチングパーツを使用している

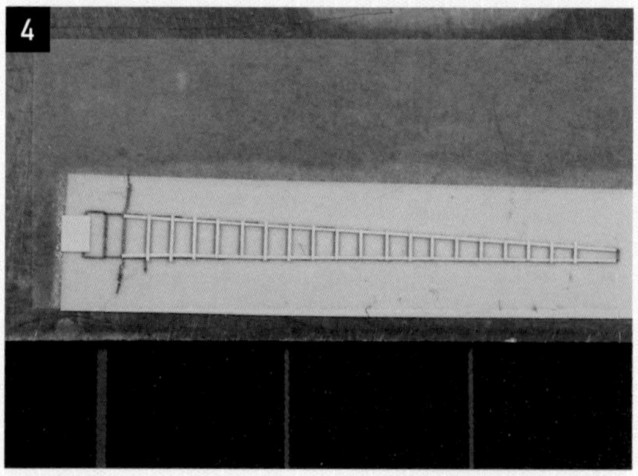

◀クレーンのブームは、パソコンで描いた下絵を基にプラ板で作成。プラ板はエバーグリーンの０.１３㎜厚を使用したが、梁の部分はさらに薄く削ぎ加工を行っている

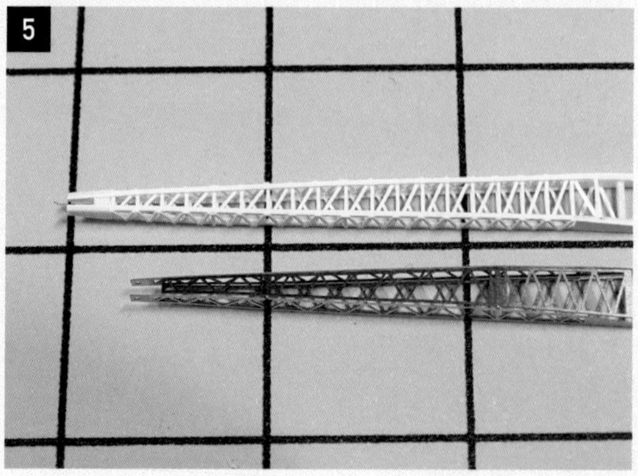

◀完成したクレーンブームとエッチングパーツのクレーンブームを比較。エッチングパーツは「フッド」および「ネルソン」用で、「バーラム」のキットや資料図面でも同サイズになっているが、ご覧のように長さが不足している

▼完成した後部マスト。基部の後部艦橋にある12.7mm四連装機銃は台形のスペースにはなく、別個に設けられた長方形の台座に設置されている

砲熕兵器・主砲の工作

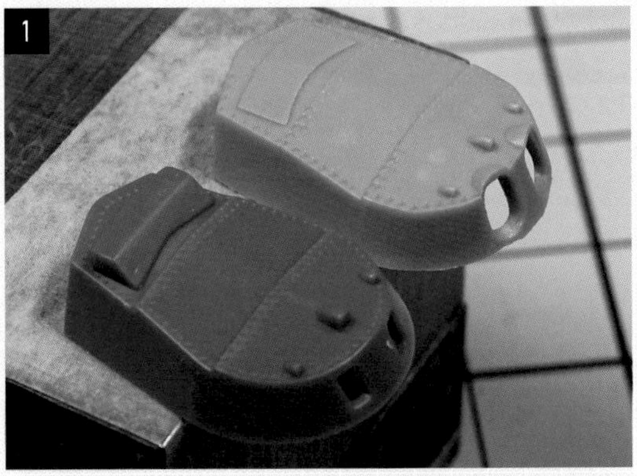

◀38・1㎝連装砲塔のパーツ比較。上がキットのパーツで、下がタミヤ「イギリス海軍 巡洋戦艦 レパルス」(品番31617) のパーツ。注目すべきは砲身基部で、キットのパーツは上部が盛り上がっている。これは仰角20°の前期型マウントに対し、仰角を30°まで上げるよう改良された後期型のマウント形状であるが、「バーラム」と「マレーヤ」にはこの後期タイプのマウントは装備されていなかった

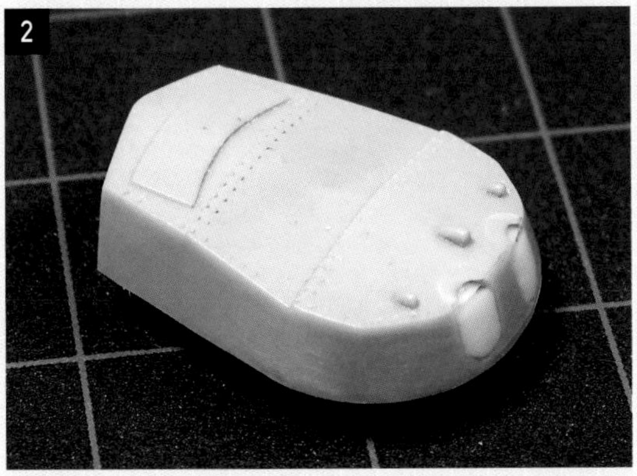

◀砲塔の開口部を瞬間接着剤とプラ棒でしっかり塞いでから、上部の盛り上がった部分を削り落とす

◀防水キャンバスのパーツが曲面に沿うように擦り合わせ。両面テープを使って仮留めしながら確認を行っている

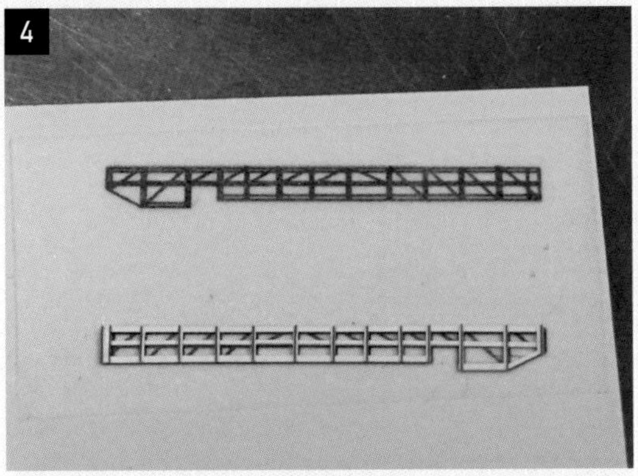

◀X砲塔（3番砲塔）上のカタパルト。キットにエッチングが付属しているが形状がアバウトなので、実物の写真を参考にパソコンで下絵を描き、それを基にプラ板で作成

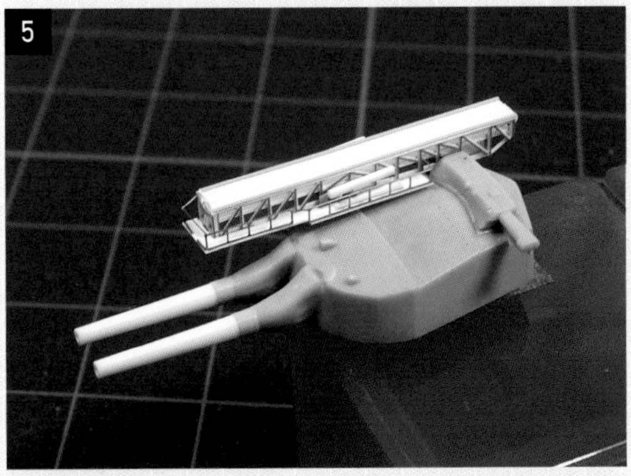

◀完成したカタパルトとX砲塔（カタパルトは仮設置した状態）。砲塔上面は前後だけでなく左右にも傾斜しているので、水平に取り付けるために入念に擦り合わせを行っている。すべて同色ならば接着しながら組み上げて塗装できるが、別々に塗装してから取り付ける必要があるため、どうしても手間がかかってしまう

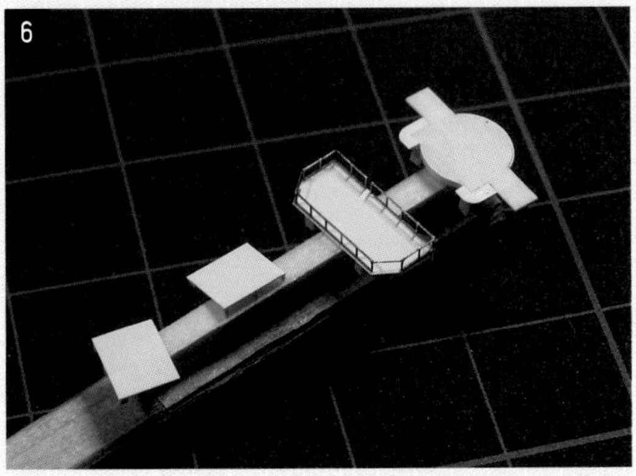

◀プラ板で作成した12・7㎜四連装機銃の台座とY砲塔上の台。一番右側は、もともとロケット砲の台座だった部分なので必要以上に大きい

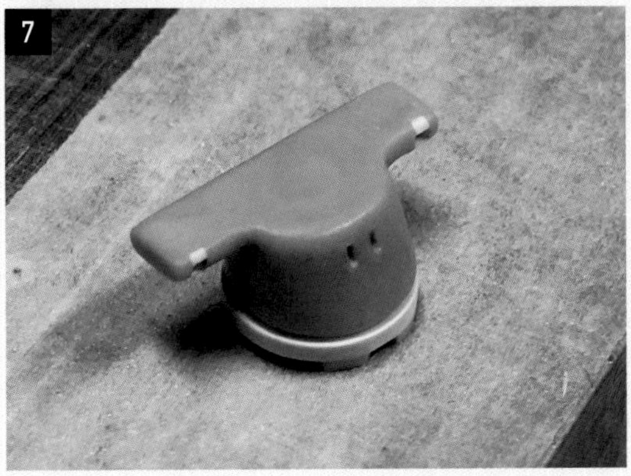

◀司令塔上にある装甲で覆われた主砲用測距儀のディテールアップ。英国戦艦の多くに見られる共通した装備品なので、参考となる画像も多い

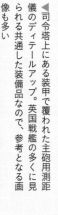

砲熕兵器・副砲の工作

◀キットの副砲パーツ。ケースメイト部分にパーティングラインの段差があり、これを修正しようとすると円筒形が崩れてしまうので、プラ棒で自作することにした

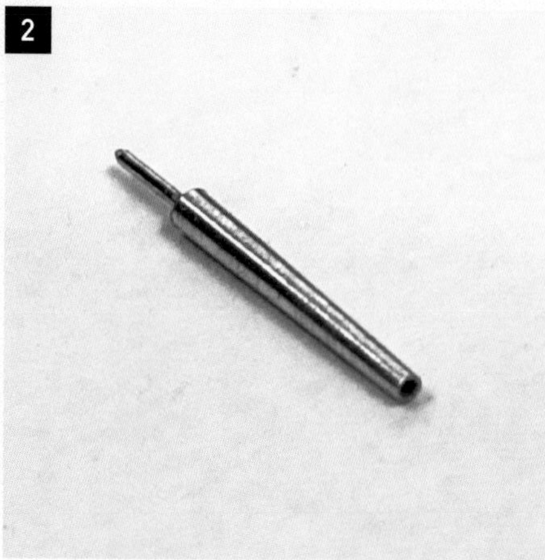

◀副砲の砲身はウェーブの真鍮パイプを加工して自作。モーターツールに差し込んで、回転させながら同社のヤスリスティックで挟み込んで、テーパーが付くように削る。ドリルで穴を開けたプラ板を先端に当てて、テーパーの付き加減を確認しながら加工していくため、かなり時間がかかる。既製の金属砲身があれば、そちらを購入したほうが間違いなくコストパフォーマンスは良いはず

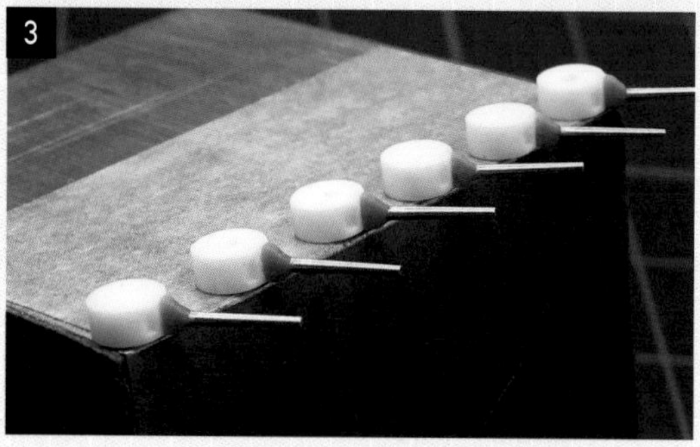

◀完成した副砲。防水キャンバス部分はフジミ模型「日本海軍艦艇用 武装パーツ」(品番700-GUP2) に含まれる副砲パーツから切り出したものを流用

砲熕兵器・対空火器の工作

10.2cm 50口径連装高角砲

▲「フッド」の資料などを参考にキットパーツをプラ材でディテールアップ。金属砲身は副砲と同様、ウェーブの真鍮パイプから自作したもの

12.7mm四連装機銃

▲ファインモールド「12.7mm四連装機銃＆20mm単装機銃（WWII英国艦用）」（品番WA41）を改造。写真右はパーツのままの状態。金型の抜き方向の関係でドラム型弾倉を再現しきれていないのでプラ板で追加し、同社「九六式25mm単装/連装機銃（エッチング製 防盾付き）」（品番WA8、現在生産休止）付属エッチングパーツの照準環を加工して取り付けた

八連装ポンポン砲

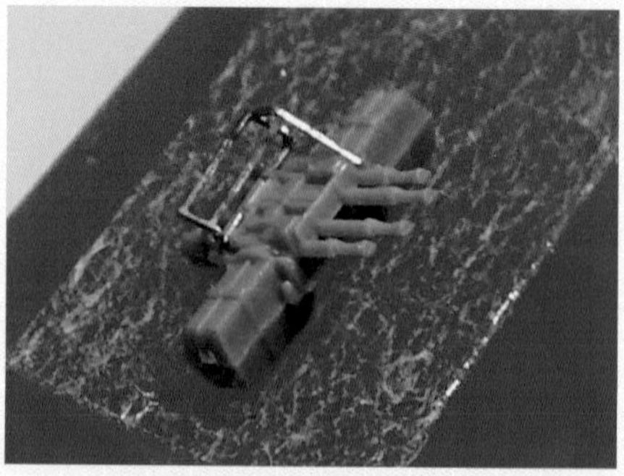

▲ファインモールド「WWII英海軍 QF 2ポンド“ポンポン砲”八連装」（品番WA37）を使用。日本海軍用の汎用手摺りを加工したものでディテールを追加した

艦載艇の工作

ライフラフト

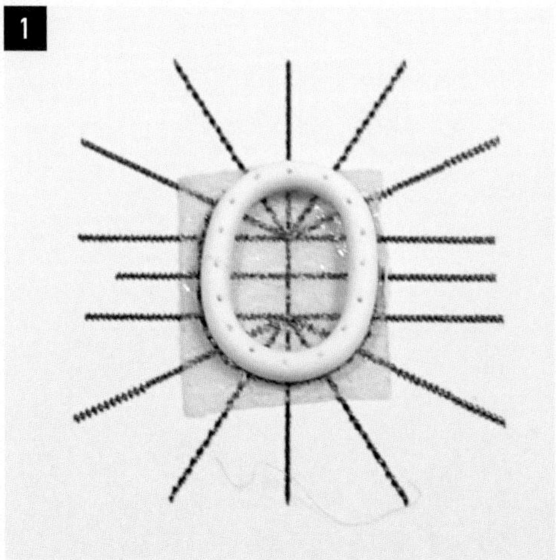

◀ライフラフト（正式名はカーレイ・フロート（Carley Float））は、プラ棒をアンカーチェーンと同じ要領で曲げて作成。浮き輪部分に取り付けられているロープを再現するため、パソコンで作成した図を基に穴を開ける

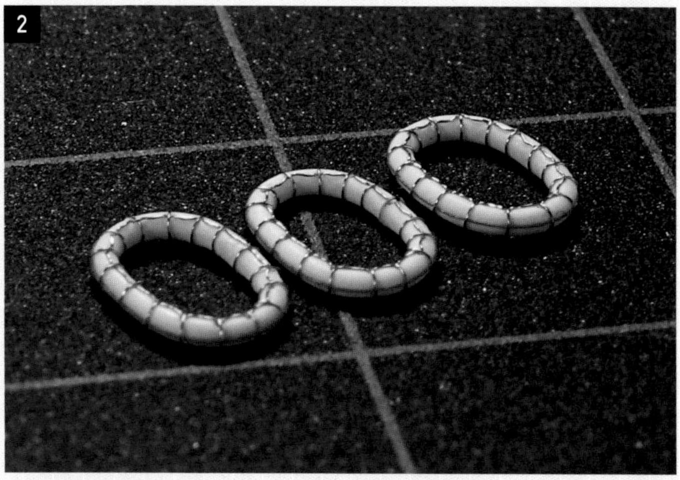

◀ヤードに使用したものと同じ極細の銅線を穴に通してロープを再現した浮き輪部分。これに船底部分を付ければ完成だ

50フィート艦載艇

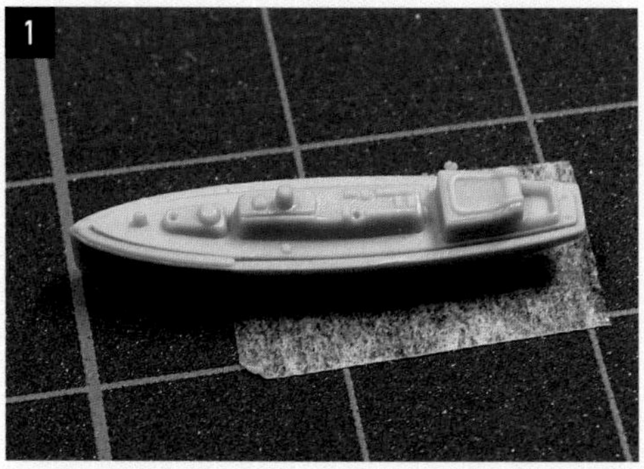

◀キットパーツの50フィート艦載艇（50ft Steam Pinnace）。上部構造物の幅が実際より不足しており細長い印象を受けるので、上部構造物はプラ材で作成し直すことにした

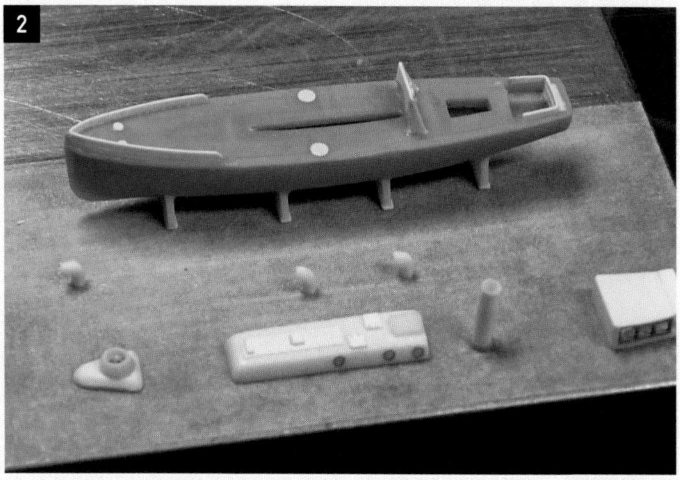

◀プラ材で作り直した50フィート艦載艇の各構造物。なお最終時には、この様な蒸気機関の艦載艇は搭載されていなかった可能性が高い

内火艇（モーターボート）

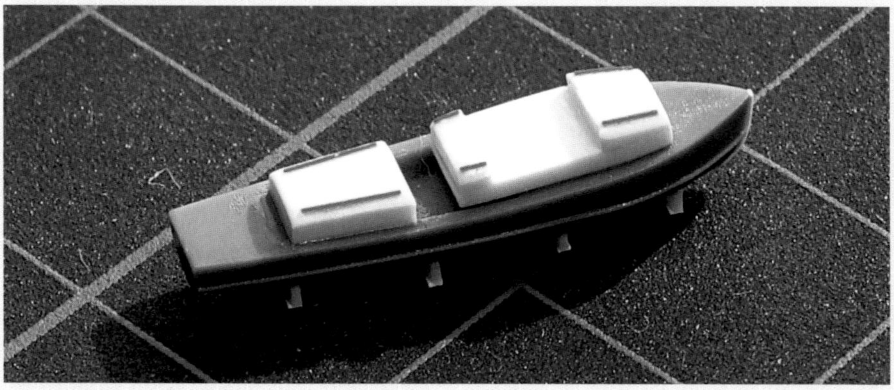

◀ストックパーツを改造して内火艇（モーターボート）を自作。1940年に艦中央部で撮影された音楽隊の集合写真で、並んだ人の背後にモーターボートが写っている。ただし一部しか映っておらず、全体の形状は不明。キャンバスを被った状態にして、それらしく表現した

迷彩色の作成

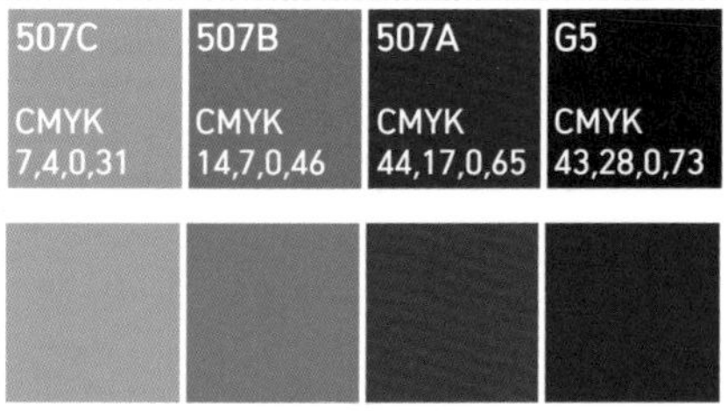

◀バーラム」の塗装のために作成したカラーチャート。英国海軍艦艇の塗装色について紹介しているサイト「Royal Navy Colour Chips」（http://www.steelnavy.com/rnchips.htm）に掲載されているカラーチップの画像から、画像編集ソフトを使用して色を抽出。「CMYK」とは色の三原色（シアン、マゼンタ、イエロー）とブラックのこと。画像編集ソフトでCMYKの値を扱うことができるものは少ないが、RGBやHSVからCMYKに値を変換してくれる便利なサイトがある「Syncer」（https://syncer.jp/color-converter）。各色の下にある色はHSV値のS（彩度）の値を0にしてグレースケールにしたもの

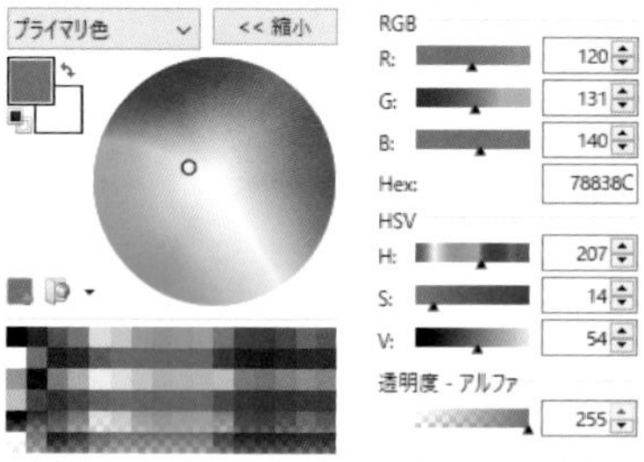

◀ソフトウェア「paint.net」の色を管理するためのウィンドウ。「RGB」は光の三原色（Red：赤、Green：緑、Blue：青「各値：0〜255」）で示したもの。「HSV」はH（色相）、S（彩度）、V（明度）で表したもの。Hの値は0〜255でSとVは0〜100になっている。図では507Bミディアムグレーを抽出したところ。画像編集ソフトによって表示の仕方は多少異なるが、大きくは変わらない

使用アイテム

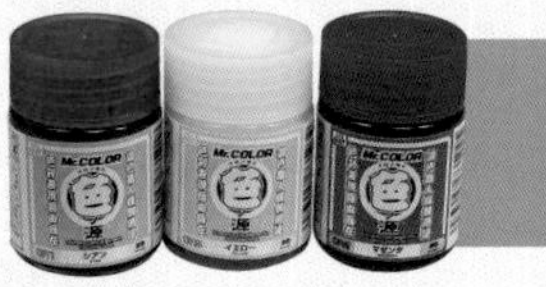

色の調色にはGSIクレオスのMr.カラー「色ノ源」（品番CR1〜3）を使用する。例では塗料をそのまま使っているが、各色に同量のうすめ液を加えて粘度を少し下げておいたほうが扱いやすいかもしれない

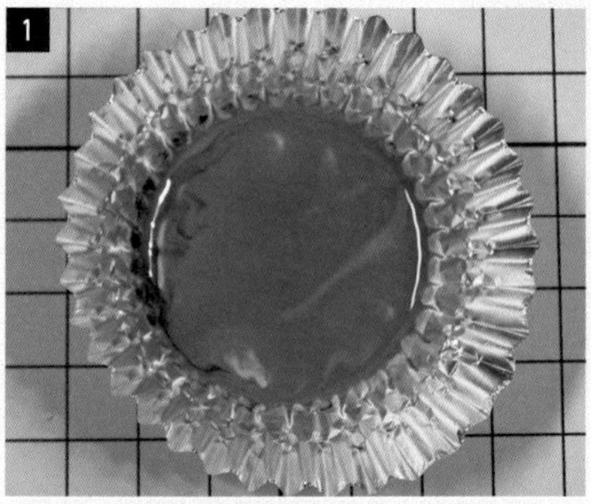

◀507Bミディアムグレーを例にとって説明する。まず初めに目的の色をグレースケールに置き換えた画像を見ながら、白と黒を混ぜ合わせる。CMYKの値ではK（ブラック）が「46」（値は0〜100）なので、白と黒をおおむね1：1で混ぜればよさそうに思えるが、そうするとかなり暗い色になってしまう。白をベースに黒を少しずつ加えていくのがコツ。また、塗料（液体）の状態ではちょうどよく見えても、塗装して乾くと少し明度が下がる。特につや消し剤を加えていると下がり幅が大きい。どれくらい下がるかは、実際に何度か塗装してみて感覚を掴んでおく必要がある。例ではわかりやすいように塗料の状態で色を合わせている

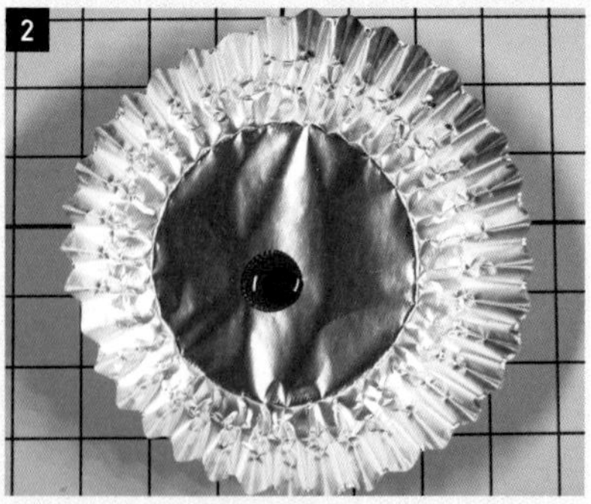

◀次にHSV値のH（色相）を合わせる。この色相さえズレなければ調色に失敗することはまずないと思う。507BのCMYK値は、Cが14、Mが7ということで、2：1の割合で混ぜる。写真は、爪楊枝でシアンを2滴、マゼンタ1滴をアルミカップに垂らしたところ

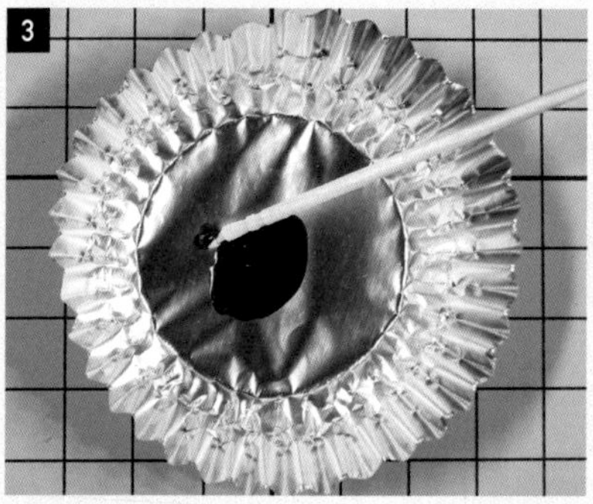

◀シアンとマゼンタを混ぜ合わせる。2枚目の画像のHSV値のS（彩度）の値が低いことからわかるように、艦艇の迷彩色は基本的に彩度は高くないので、1キット分のカラーの調色でも「色ノ源」はそれほど使わない。まずは少ない量で試してみて、慣れてきたらスプーンを使ってもよいだろう。それでもスプーンは最小サイズで充分である

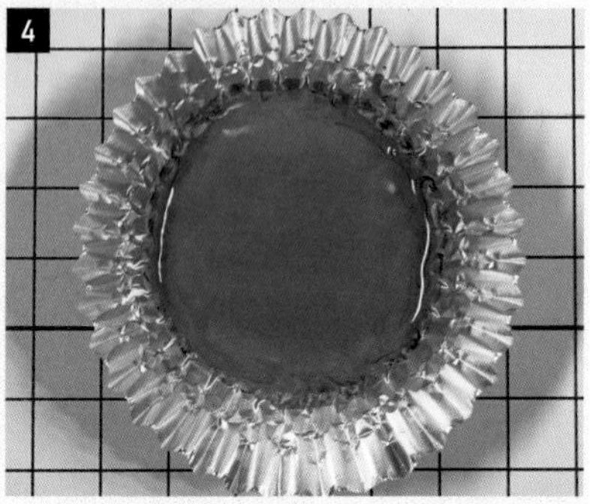

◀先に作った白黒のグレーに、混ぜ合わせた「色ノ源」を、507Bの画像を見ながら少しずつ混ぜていく。写真の色はカメラや撮影した環境により変化するとはいえ、作成したカラーチャートの507Bと近い色になっているのが確認できると思う。実際に調色する時には、白黒のグレーを塗装に必要な量だけ用意すること。この色の画像を前述の画像編集ソフトで抽出すると、HSV値のH（色相）はカラーチャートとの違いが3だけで、ほぼ正確に調色できたことがわかった

プラ材工作基本テクニック

[1] 決まった幅のプラ板を切り出す

使用アイテム

1

◀例としてエバーグリーンの0.13㎜厚のプラ板を使用する。カットに使用するオルファ「別たち」（品番56B）の刃幅が42㎜なので、それより小さい幅のプラ板を用意する

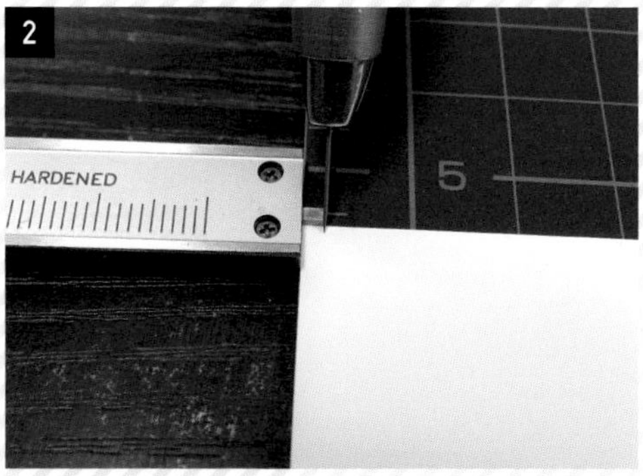

2

◀カッターマットの縁に、ノギスのデプスバー（深さや段差を測る時に使用する側）を当て、そこにプラ板をピッタリ合わせる（写真ではデプスバーは1.5㎜に設定してある）。デプスバーにデザインナイフの刃を合わせて、プラ板に小さく切れ込みを入れる。同じ要領で反対側にも切れ込みを入れる

3

◀上下に入れた切れ込みに、オルファの「別たち」の刃を当ててカット

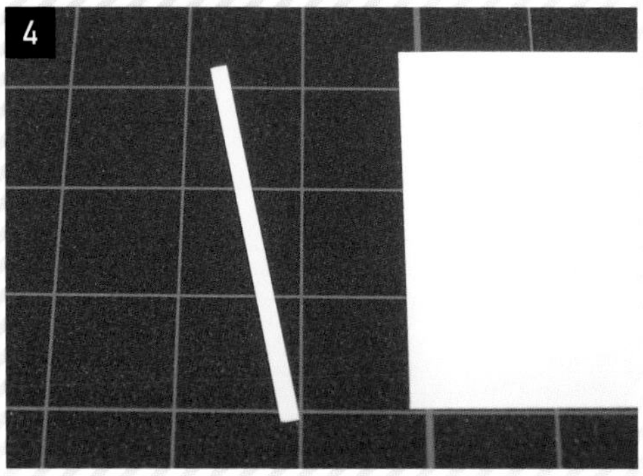

4

◀目的の幅のプラ板を切り出すことができた

[2] 決まった長さのプラ棒を作る

1

◀モーターツールにプラ棒を固定して回転させながら、GSIクレオス「Mr.ポリッシャーPRO」（品番GT07）を使って切断面を水平にする。モーターツールは、チャックの内側が研磨ビットなどの軸径に切り欠いてあるものは使用できない。写真で使用しているのは、東洋アソシエイツ「Mr.Meister 小型ペンタイプツールPT-αII」（品番61103）

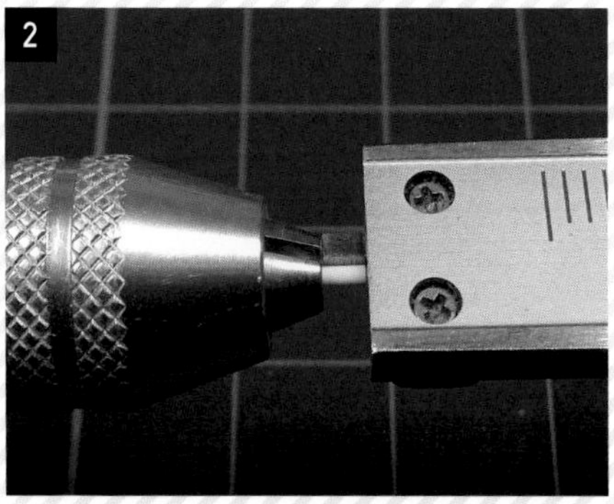

2

◀チャックを緩めてプラ棒が動くようにし、ノギスのデプスバーを当てて、切り出す長さだけ出た状態にして固定する。ここでは後から切断した面を整えるので、作成するプラ棒よりわずかに長くする

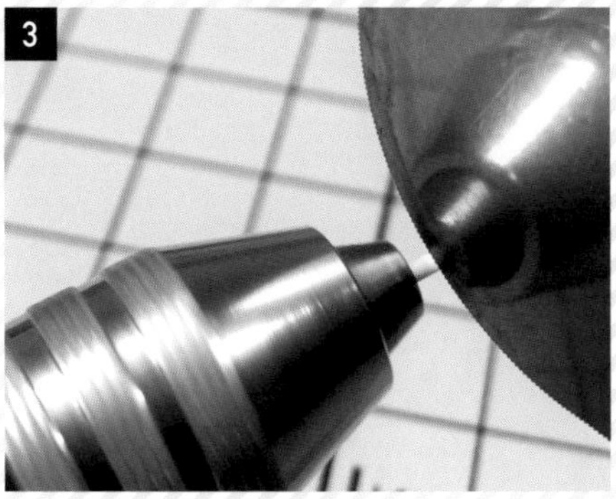

3

◀プラ棒を回転させながら根基にエッチングソーを当てて前後に動かす。この時、エッチングソーを真っ直ぐに当てないと、回転しているチャックの爪に引っかかって弾かれることがある。またプラ棒の削りカスが飛んでくることもあるので、必ず目を保護して作業を行うこと

4

◀プラ棒の向きを反対にして固定し、同じようにMr.ポリッシャーPROで切断面を整えて完成

▲右舷から見た「バーラム」。1941年11月25日、地中海に沈んだ姿を再現するため、資料や写真を活用して細部を考証。キットでは全面木甲板となっているが艦首と艦尾のみとなっているのもその成果の一つだ

▼左舷から見た「バーラム」。竣工時はシンプルな艦影の第一次大戦型超弩級戦艦だったが、大戦間に２度の近代化改装を受け、重層的な艦橋、集合煙突、舷側バルジ付加などを施した状態で第二次大戦に臨んでいる

▲艦橋は多数のプラットフォームで構成される日本海軍戦艦に似た構造。2番砲塔上面の機銃座は元はロケット砲台座だったため左右に張り出しがある

▲艦首上面。甲板上面はほぼすべてのモールドを削り落としプラ板などで作り直し。アンカーチェーンも19ページの通り伸ばしランナーによる完全自作だ

▲左舷側から見た艦橋。竣工時に前後2本が直立していた煙突は改装時に一体化。舷側の15cm副砲は砲郭式で、片側に6門、合計12門を搭載していた

▲煙突から後部艦橋およびマスト。その間には艦載艇が搭載されている。プラ材から自作したクレーン、甲板に林立する吸排気口などの細部にも注意

▲艦尾。1920年代頃までの大型艦によく見られるスターンウォークはエッチングパーツやプラ材などでていねいに再現。旗竿にも透明プラ材で舷灯を追加

▲艦首の舷窓はキットのモールドを伸ばしランナーで埋めてから、改めて実艦通り上下２段に彫り直し。さらに錨付近の舷窓には縦方向の格子２本を追加していることに注目してほしい

▲X砲塔（３番砲塔）上にはカタパルトが搭載されている。キット付属のエッチングパーツは形状がアバウトなので、写真を参考にパソコンで描いた下絵を基にプラ板で作り直している

▲左舷後方から見た艦橋付近。３本の支柱を内蔵した艦橋の各プラットフォームがゆがみなく整然と組み立てられており、工作レベルの高さを伺わせる

［作品ギャラリー・その1］

大日本帝国海軍 巡洋戦艦 金剛

大正3（1914）年

IMPERIAL JAPANESE NAVY BATTLECRUISER KONGO 1914

大正2（1913）年、最新の造船技術習得のため日本海軍がイギリスの
ヴィッカーズ社に発注した巡洋戦艦「金剛」は、英海軍のライオン級巡洋戦艦に準じた設計だったが、
主砲口径は当時の最新戦艦に搭載された34cmより一回り大きい36cm（14インチ）とし、
巡洋戦艦としての27ノットの高速力に戦艦以上の攻撃力を備えた
「高速戦艦」のはしりであった。英海軍では「金剛」での実績を元にライオン級の4番艦「タイガー」は
砲塔配置などを同様に変更、また第一次世界大戦では日本海軍から
金剛型巡洋戦艦の貸与を願い出たほどの優秀艦であった。

▲右舷から見た艦中央部。原形のライオン級巡洋戦艦から主砲を36cmに大口径化、砲塔配置も変更し、前後のマストと3本の煙突を中央に集中させている

キットについて

2017年に誕生したメーカー「カジカ」から第一弾キットとして登場したキットです。「金剛」はほとんどのメーカーが太平洋戦争時の戦艦としてモデル化していますが、カジカでは大正3(1914)年竣工時の巡洋戦艦の姿を再現しているのが新鮮です。

キットのパーツはスライド金型を駆使し、モールドが細部にわたり繊細かつシャープに施されています。プラスチックの材質がとても軟らかい上に細くて繊細なパーツが多いため、国内メーカーに慣れ親しんだ方にとっては組み立てのコツをつかむのに少々苦労するかもしれませんが、キットの完成度が高いので、面の修正などはほとんど必要ありません。製作にあたってはメーカーから発売されている各種の純正ディテールアップパーツを使用、部分的に汎用のエッチングパーツも併用しました。

船体の工作

本キットでは丸窓の庇に加え、船体外板の段差までリアルに再現されています。そのままでも精密感充分ですが、モンキーラッタルをライオンロア「WWII艦艇用 ラッタルセット」(品番R7001)に置き換え、キャットウォーク下面に並ぶ支柱をプラ板で再現。艦尾のスタンウォークも汎用エッチングを使用。アンカーはナノ・ドレッド「アンカー・菊花紋章セット」(品番WA12)、

▲右舷から見た艦橋付近。露天式のシンプルな艦橋、多数が配置された探照灯、舷側の防雷網用の桁など、艦容は太平洋戦争時とは大きく異なっている

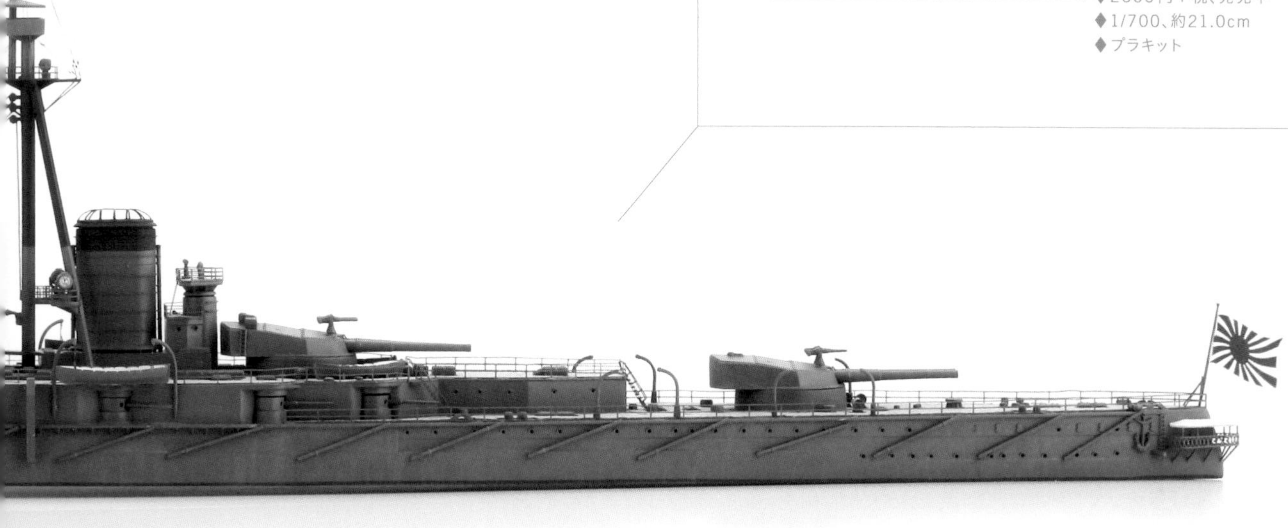

日本海軍超弩級巡洋戦艦 金剛 1914年

IMPERIAL JAPANESE NAVY BATTLECRUISER KONGO 1914

【製品データ】
- ◆日本海軍超弩級巡洋戦艦 金剛 1914年
- ◆発売元/ピットロード
- ◆販売元/ビーバーコーポレーション
- ◆2600円+税、発売中
- ◆1/700、約21.0cm
- ◆プラキット

副砲砲身は「日本海軍超弩級巡洋戦艦 金剛 1914年 15cm砲金属砲身」（品番KJKKM71003）に置き換えています。

甲板は純正の木甲板シート「日本海軍 超弩級巡洋戦艦 金剛 1914年デッキシート」（品番KJKKM71004）を使用。艦首側から貼り付けていったのですが、モールドに合わせる際に生じたゆがみで、時間が経つと中央付近でシートが少し浮き上がってきてしまいました。モールドが集中する中央部から貼り付けていった方が浮き上がりを抑えられるでしょう。また貼り付け後は上部構造物パーツの接着面が塞がり、シートにパーツを接着することになります。完成後にパーツごと浮き上がってしまう可能性があるので、甲板パーツの裏側にナットを仕込み、パーツをネジ止めできるように加工しました。なお木甲板部分は「日本海軍超弩級巡洋戦艦 金剛 1914年 マスキングシート」（品番KJKKM71005）を使えば塗装でも簡単に塗り分けることができます。

手摺りのエッチングと取り付けていきますが、副砲周りの甲板部は木甲板シートが縁にまで達しているために手摺りの接着しろがありません。木甲板シートごと浮き上がってこないように、各副砲の前後にある少し張り出している部分に0.3mmドリルで穴をあけ、そこに0.1mm径の銅線を通して木甲板シートごと手摺りを固定しました。

上部構造物の工作

ジャッキステーはモールドを削り落とし、鎌倉模型工房「艦船模型用 精密ジャッキステー」（品番KMN-0003）に置き換えました。階段および梯子もファイブスターモデル「WWII日本海軍 艦艇用ラッタル」（品番FS710079）を使用しています。

マストのパーツはスライド金型を駆使した素晴らしいものですが、強度に不安があったので、最上部の細い部分とヤードは真鍮線で作成。張り線は使い慣れたモデルカステンのメタルリギングを使用しました。主砲砲身は純正の金属砲身「日本海軍 超弩級巡洋戦艦 金剛 1914年 36cm砲金属砲身」（品番KJKKM71002）に置き換えています。

完成して

キット内容はやや上級者向けですが、金型技術は目を見張るものがあり、「プラモデルもついにここまで来たか」という感があります。なによりもアイテム選択が絶妙で、大戦時の対空兵装が強化された艦容だけに目を向けていた方にも、このシンプルかつスマートな姿は新鮮で魅力的に映るはずです。

◀完成間近の「金剛」。低い船体と上部構造物と、高さのあるマストの対比が美しい。なおカジカからは同型艦の竣工時「比叡」、「榛名」、「霧島」も発売されている

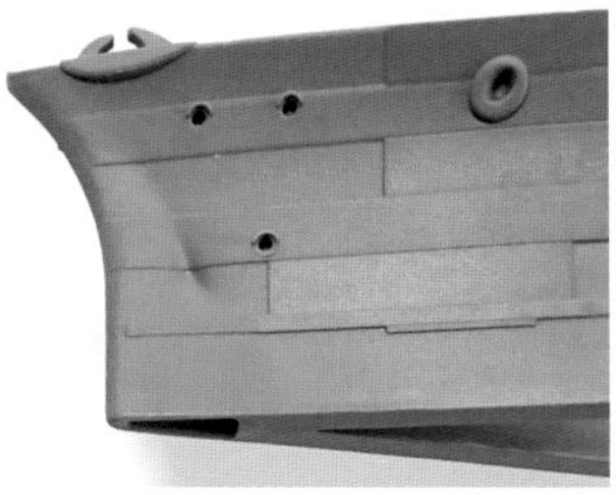

◀船体は庇付きの舷窓、外板継ぎ目の段差などが繊細にモールドされているが、入手したキットのパーツは艦首部分にヒケが発生していたので修正する

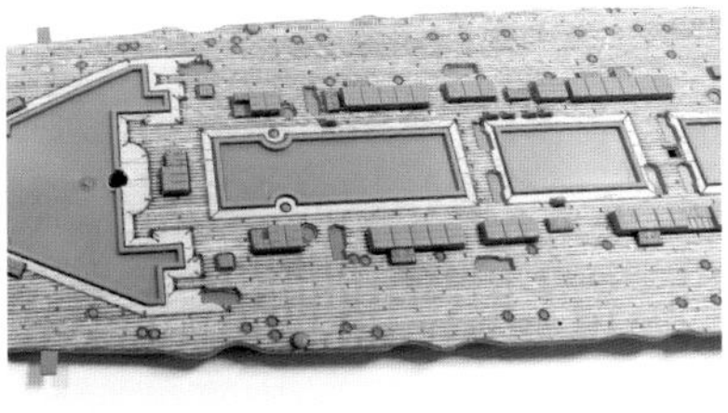

◀甲板パーツに木甲板シートを貼り付け。シートが硬めでゆがみを吸収しづらく、浮き上がりを防ぐためにモールドが集中する中央部から貼り付けるとよい

◀修正は時間をかけて神経を集中して行う。通常粘度と低粘度の瞬間接着剤を使ってヒケを埋めてていねいにサンディング。舷窓の庇は伸ばしランナーで再生

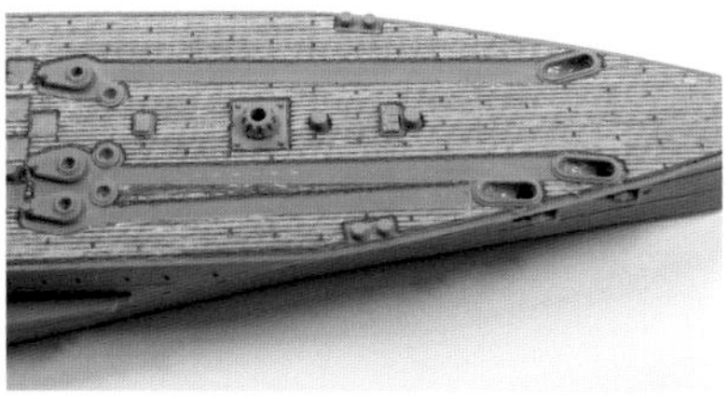

◀艦首甲板のモールドを削り落とし木甲板シートを貼る。このままではご覧の通り錨鎖導板が窪んだ状態なので、0.15mm厚プラ板を貼ってかさ上げする

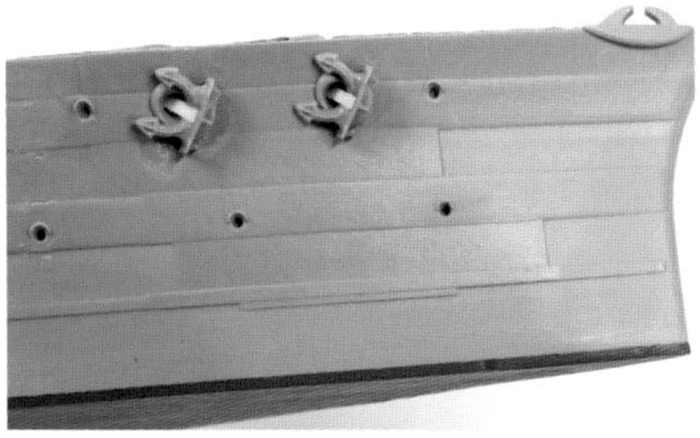

◀艦首右舷側も同様に修正。右舷に2個取り付けられているアンカーはファインモールドのパーツに交換し、シャックルの部分をプラ板で作り直した

◀カッターはタンで塗装後、パソコンで作成した木部マスキング用型紙でマスキングしホワイトを塗装。内側にマスキングゾルを塗り、軍艦色で仕上げた

H. I. J. M. S. "Kongo". Full Power Trials.
Built by Vickers, Ld., Barrow.

▲大正2(1913)年、ヴィッカーズ造船所で工事後ベルファストで兵装を搭載し全力航行試験を行う「金剛」。(写真/平賀譲デジタルアーカイブ(東京大学柏図書館))

［作品ギャラリー・その2］

大日本帝国海軍 敷設艦 津軽

IMPERIAL JAPANESE NAVY MINELAYER TSUGARU

戦艦「大和」や空母「翔鶴」などとともに昭和12（1937）年の〇三計画で建造された「津軽」は、
港湾防備のための機雷敷設を主目的とした4000t級の大型敷設艦だった。
前級の「沖島」から敷設艦としての能力を向上、さらに航空機燃料や弾薬などを輸送可能で、
前線航空機基地への補給艦としての機能も備えていた。「津軽」は昭和16（1941）年10月22日に竣工、
太平洋戦争では主に南方への輸送任務に従事。昭和19（1944）年6月29日、
インドネシアのモロタイ水道で米潜水艦「ダーター」の雷撃により沈没した。

日本海軍敷設艦 津軽（前期型1941）

IMPERIAL JAPANESE NAVY MINELAYER TSUGARU

【製品データ】
◆日本海軍敷設艦 津軽（前期型1941）
◆発売元／フジミ模型
◆2600円＋税、発売中
◆1/700、約21.0cm
◆プラキット

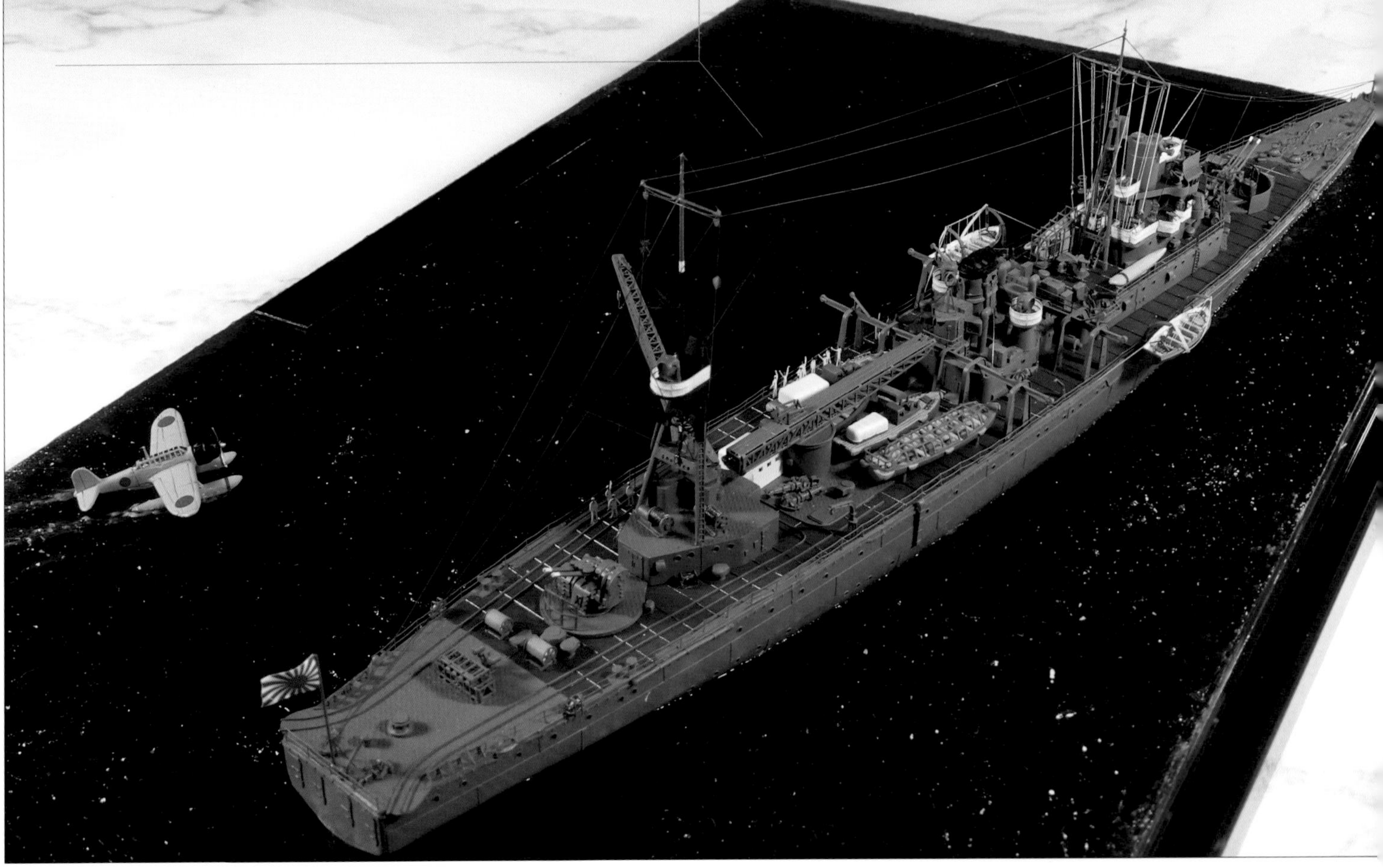

▲海面ベース上部に艦を配置したディオラマ作品。左舷後方から零式三座水偵が接近中

▼鋲接合の船体を表現するため、舷側にはリベットを付けたプレートを縦方向に貼り付け

▲艦橋を含め上部構造物はプラ板でかさ上げ。甲板もプラ板で置き換えている

▼艦中央部は煙突、機雷敷設用ブーム、射出機、艦載艇など見どころをていねいに工作

作品について

2015年のピットロードコンテスト出品作品です。公式図面を基に、フジミ模型「日本海軍敷設艦 津軽(前期型1941)」(品番特24)をベースに製作しました。

キットは実物よりもスマートで低いシルエットになるようにアレンジされています。一つ例を挙げると、艦橋の各階層パーツの高さは2.8mmとなっており、これを実寸に換算すると196cm、床と天井の梁の高さも含まれているわけですから、明らかに高さが不足していることがわかります。図面と照らし合わせた結果、船体幅で1.5mm、艦橋の高さで1.8mm足りないことがわかりました。

まず船体については甲板パーツは使わずにプラ板に置き換え、正しい寸法になるようにしました。過去に筆者は同社の「日本海軍敷設艦 沖島」(品番特26)のキットも製作したことがありますが、その時に艦載艇を載せるスペースが狭く窮屈だと感じていました。「沖島」は公式図面の存在は確認されていませんが、おそらくキットの船体幅も不足しているものと思われます。甲板をプラ板に置き換えたので、甲板上のモールドはすべてプラ材で再生しました。

船体外鈑はサーフェイサーではなく、タミヤのプラペーパー0.05mm厚を貼り付けて再現しています。前級「沖島」の船体は溶接を主体に建造されましたが、「津軽」では鋲接を主体に建造されました。このため「津軽」を左舷側から写した写真を見ると、船体中段あたりに縦方向に張られた細いプレートが確認できます。作品では、細切りのプラペーパーの裏側からエッチングソーの刃を押し当ててリベットを再現、これを貼り付けて継ぎ目のプレートを表現しました。なお作品では修正しませんでしたが、アンカーレセスは実艦では甲板面の高さギリギリの位置にあります。

▲艦首方向から見る。後部マストからクレーンを左舷に旋回させて、着水した零式三座水偵を揚収する態勢。海面はターナーの水性グレインペイントで作成

▶12.7cm高角砲を搭載した艦首。甲板をプラ板で置き換えたため、上面の構造物もすべて自作した

▶艦橋周辺。細かなディテールは図面の情報に加え、岡本好司氏の1/175スケール模型を参考に追加

舷外電路のラインは公式図面の右側面図(左側面図はありません)を基に作成しましたが、あとになって左舷から撮影された写真と見比べてみると、左右で部分的にラインが異なっていることに気が付きました。舷外電路には必ず船内に引き込まれている箇所があります。全周が繋がった状態では電流が流れないので当然のことですが、おそらく多くの方が意識せずに取り付けているのではないでしょうか。もっとも、その位置が写真あるいは図面などで確認できるのは稀なので仕方のないことなのかもしれません。なお「津軽」では引き込み箇所が右舷側にあり。図面にも描かれています。

上部構造物は先に述べた通り高さが足りないので、各階層パーツにプラ板を貼り付けて嵩上げしました。図面の情報だけだとあっさりしてしまうので、細かなディテールを岡本好司氏製作の1/175スケール模型の写真を参考に付け加えています。

多くの部分はプラ材での自作ですが、兵装類、探照灯、カッターなどはファインモールドのナノ・ドレッドシリーズのパーツを使用しました。クレーンはプラ板で自作しましたが、射出機はエッチングを使用しています。海面に配置した零式三座水偵はウォーターラインシリーズのパーツを使用しました。風防部分は自作の型に瞬間接着剤を流し込んで成型したものです。海面はターナーの水性グレインペイント アクアシリーズで再現しました。

◀艦橋を右舷より見る。キャンバス張りの手摺り、水偵の予備フロートなどがよいアクセントになる

▼後部の射出機はエッチングパーツ。周辺にはキャンバス張りの作業室や乗組員が見える

▲艦尾にある機雷投下口とレールは、敷設艦の役割を大きく印象づける

▼艦尾は現用艦のように切り立った形状。後面にある4枚の扉を開いて機雷を投下する

▼水偵の視点から艦を望む。この作品は第26回(2015年)ピットロードコンテストに出品され、銀賞を受賞している

零式三座水偵の風防部分は瞬間接着剤を型取りしたものを取り付けている

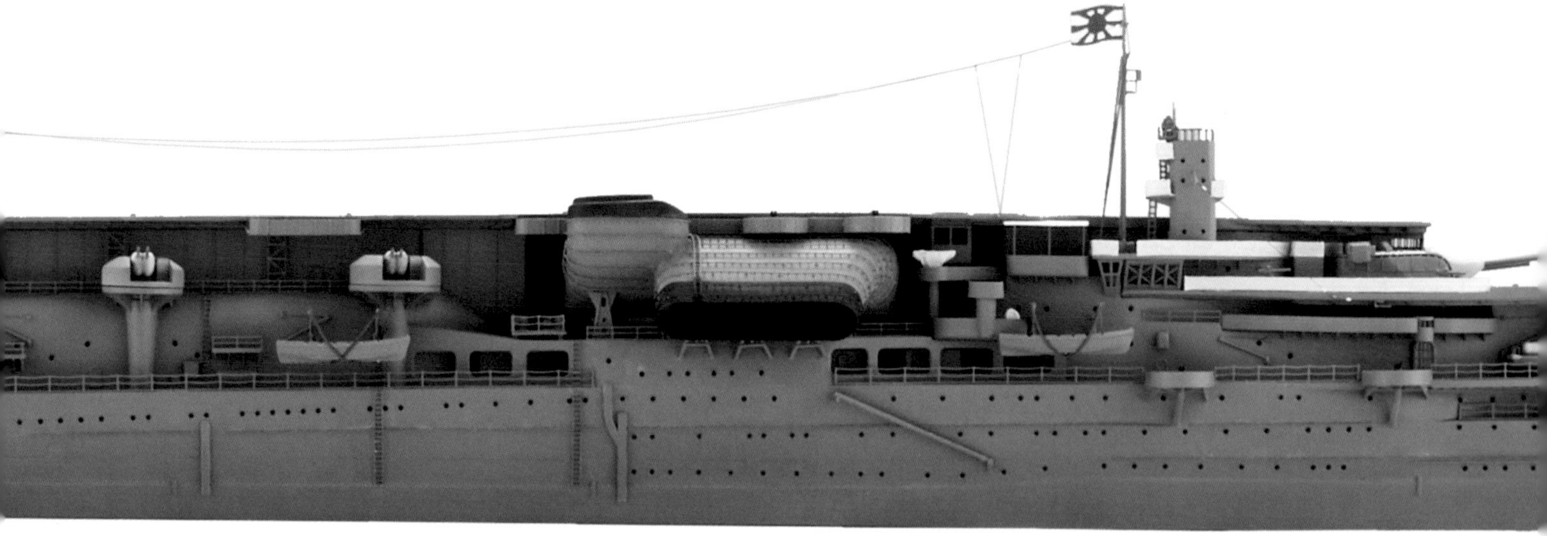

IMPERIAL JAPANESE NAVY AIRCRAFT CARRIER AKAGI

AFTER FLIGHT DECK BRIDGE REFIT, 1934

巡洋戦艦から三段の甲板を持つ航空母艦への転身

大日本帝国海軍
航空母艦 赤城

飛行甲板艦橋設置後、昭和9(1934)年

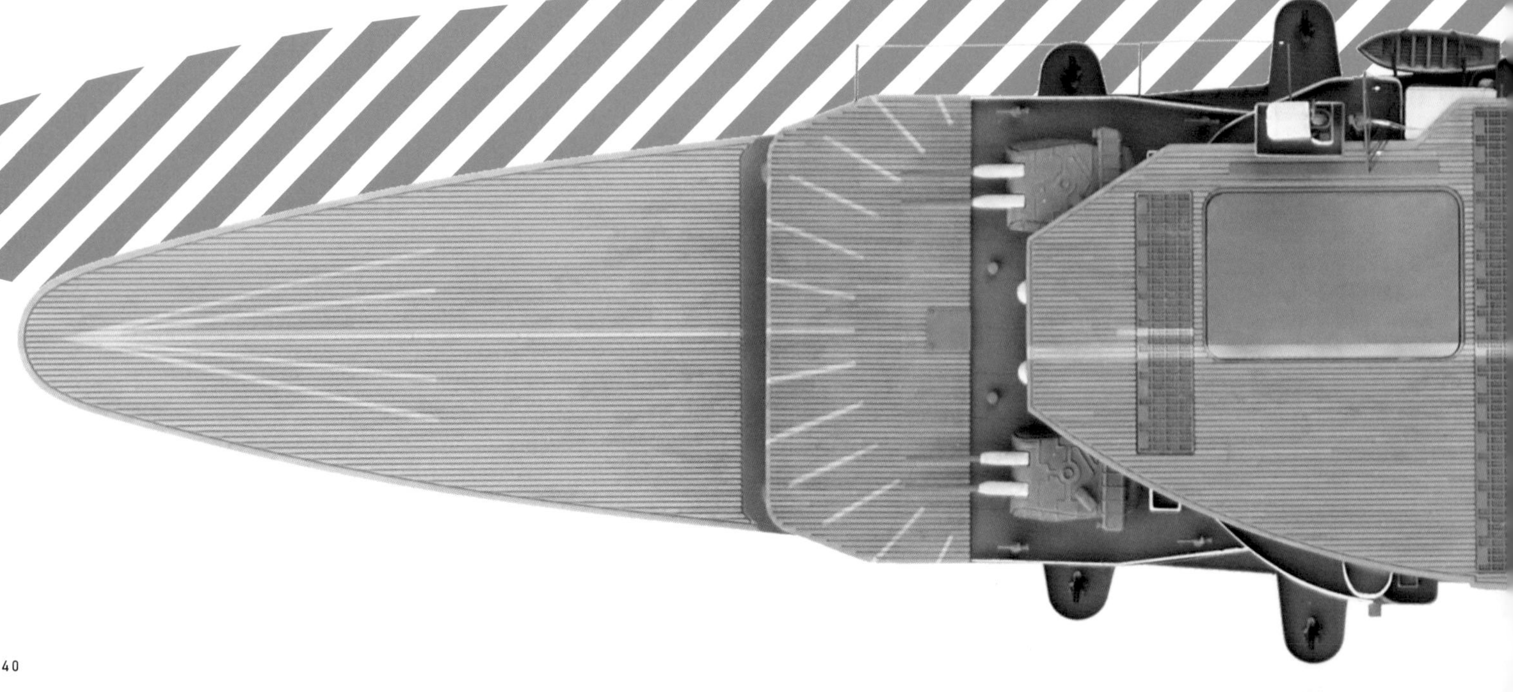

航空母艦「赤城」は、真珠湾攻撃から始まる緒戦の快進撃を支え、ミッドウェー海戦で敗れ去るまで空母機動部隊の中心となって戦った、太平洋戦争における日本海軍の象徴ともいうべき存在だ。これまでさまざまなキットがモデル化されてきたが、その中で昭和3(1928)年の竣工時を再現したハセガワ1/700キットは、航空母艦の形態が未確立な時期に考案された三段式飛行甲板を持つ姿を見事に立体化している。面積の広い木甲板の塗装、飛行甲板下のトラス構造の再現など、空母ならではのモデリングテクニックを自在に駆使し、昭和初期の海上航空戦力の一翼を創造する。

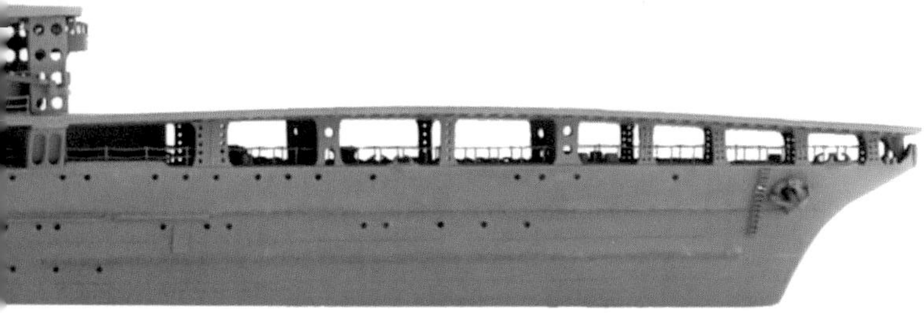

大日本帝国海軍 航空母艦 赤城
実艦解説

IMPERIAL JAPANESE NAVY AIRCRAFT CARRIER AKAGI REAL HISTORY

文／竹内規矩夫
写真／US Navy、平賀譲 デジタルアーカイブ（東京大学柏図書館）

世界最強の空母

昭和16（1941）年12月8日、太平洋戦争の口火を切る真珠湾攻撃の立役者となった日本海軍航空母艦「赤城」。昭和17（1942）年6月6日、ミッドウェー海戦であえなく戦没することとなったが、それまでの約半年間、その実力を遺憾なく発揮した。準同型艦の「加賀」とともに世界最大最強の空母となるまでの道のりは、決して平坦なものではなかった。

巡洋戦艦からの改装

「赤城」は日本海軍では「鳳翔」に続く2番目の空母だったが、最初から空母として建造されたわけではなく、当初は「八八艦隊計画」の5〜8番艦にあたる天城型巡洋戦艦4隻のうちの1隻として計画が始まっている。2番艦「赤城」は大正9（1920）年12月6日に呉海軍工廠で起工、大正12（1923）年12月下旬に竣工予定で工事が進められていたが、ワシントン海軍軍縮条約（1922（大正11）年）の締結に伴い八八艦隊計画は中止、「赤城」も大正11（1922）年2月7日に未進水のまま工事中止となった。しかしこの条約では空母の新造が認められていたため、「天城」と「赤城」は空母に改装されることが決まり、大正12（1923）年1月12日より工事に着手した。なお横須賀海軍工廠で改装中だった「天城」は大正12（1923）年9月1日の関東大震災により修復不可能な被害を受け解体、代わりに戦艦「加賀」が空母に改装されることになった。

▼航空母艦「天城」の初期案。艦橋と大型の煙突がある全通式の飛行甲板、2基が中央部に並列されたエレベーター、主砲10門に加え副砲14門も装備されるなど、デザインはかなり異なっている

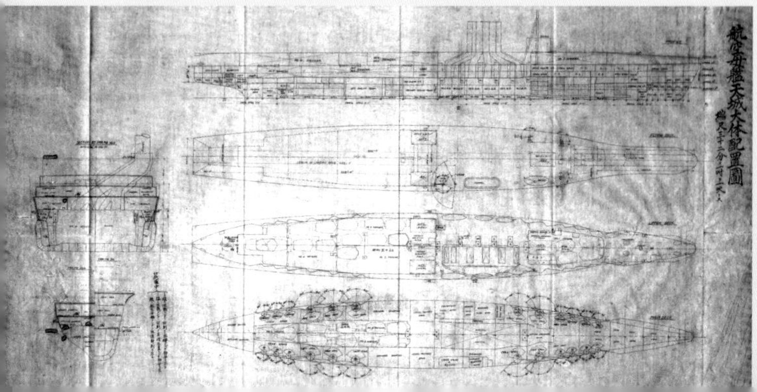

▲航空母艦へ改装工事中の「赤城」。下部飛行甲板の設置が行われているが、高角砲部分の切り欠きがなされていることがわかる。また中部飛行甲板の前端も丸い形状になっているなどの相違点がある

一口に空母への改装といっても、単純に飛行甲板を取り付ければ済むというような簡単なものではなかった。巡洋戦艦と空母では重量が異なり船体が浮いてしまうので、舷側の装甲の取り付け位置を下げ、装甲板も薄くし、船体を後方に傾けスクリューの位置を深くするなどのさまざまな改修が必要となり、作業は困難をきわめた。飛行甲板まわりのデザインはいろいろな案が出されたが、二段式の甲板を採用したイギリス空母「フューリアス」にならい、三段の甲板を持った形態となった。上段は発着甲板、中段は砲塔甲板、下段は発甲板で、飛行機の発着艦を同時に可能としている。煙突は排煙が発着を阻害しないように前半部は右舷中央部に下向きに配置。後半部は上向きだが、飛行機発着の際には使用しないことになっていた。艦橋も飛行甲板に構造物を設けないように、砲塔甲板に設置された。エレベーターは前部と後部の2ヶ所に設けられ、搭載機数は60機だった。

三段の飛行甲板とともに大きな特徴となっていたのが、砲塔甲板にある2基の20cm連装砲塔だった。当時は重巡洋艦クラスの艦艇との水上打撃戦も想定されていたため、条約の制限一杯となる20cm砲を計10門搭載。この20cm砲は古鷹型重巡と共通で、前方の4門は連装砲塔2基に、後方は片舷3門ずつ砲郭式に収められ、戦時にはさらにプラス6門の増備も可能と

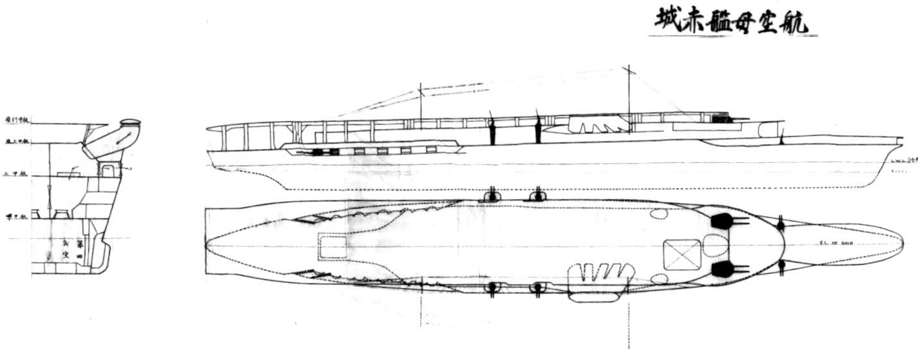

◀講演用壁掛図面として残されている航空母艦「赤城」の三面図。艦首に装備された12cm連装高角砲とそれを除けるように切り欠かれた下部飛行甲板などを除けば、実艦の竣工時に近い図面になっている

なっていた。

空母への改装工事は予定からやや遅れて昭和2（1928）年3月25日に竣工となったが、航空関係の艤装はその後も引き続き、発着艦試験を完了して艦隊に配備されるのは約半年後となっている。その後も着艦制動装置を縦索式から横索式に変更するなどのさまざまな改良が行われているが、発着甲板右舷前方に小型の仮設艦橋もその一つで、昭和8（1933）年に「加賀」に設置されていたものを小改造、操艦や飛行機発着指揮を容易に行えるようにしている。

大戦間のこの時期、排水量30,000tクラスの大型空母は同じく日本海軍の「加賀」、アメリカ海軍の「レキシントン」、「サラトガ」しか存在せず、内外から大きな注目を集めた。ドイツ海軍も空母「グラーフ・ツェッペリン」建造の参考とするため昭和10（1935）年10月に視察団を派遣、「赤城」を訪れて飛行甲板設備や発着艦作業を見学し、図面の提供も受けている。

▼昭和10～13年（1935～38年）、全通一段式飛行甲板に改装後の「赤城」。同時期に建造中の「飛龍」と同様、艦橋は中央部左舷側に設置。この状態で昭和16（1941）年の太平洋戦争に参加した

▼1925年頃に二段の飛行甲板に改装されたイギリス海軍の「フューリアス」。また大型軽巡洋艦から改装された「カレイジャス」、「グローリアス」も同様の二段式飛行甲板を備えていた

太平洋戦争と「赤城」

熟慮の末採用された三段甲板だったが、艦載機の大型化に伴い飛行甲板の拡張が必要となり、先に大改装が行われた「加賀」に続いて、昭和10（1935）年10月24日に佐世保海軍工廠で近代化改装に着手、一段の全通式飛行甲板へと改修された。昭和13（1938）年8月31日に工事が完了、飛行甲板は以前の190.2m（発着甲板）から249.2mに大幅に延長され、エレベーターも3基に増設。格納庫も大型化され、搭載機数は91機に達し、名実ともに世界最大かつ最強の空母の一つとなった。

さらに日本海軍は、太平洋戦争直前の昭和16（1941）年4月、これまでは2つの艦隊に分属していた3個航空戦隊を合体し第1航空艦隊を新編。「赤城」、「加賀」、「蒼龍」、「飛龍」の空母4隻を「機動部隊」として統一指揮することで強力な海上航空戦力の実現を図ったが、同年12月8日の真珠湾攻撃の戦果により大成功を収めた。しかし翌昭和17（1942）年6月5日のミッドウェー海戦において「赤城」はアメリカ海軍空母「エンタープライズ」から発進したSBDドーントレス艦上爆撃機の急襲を受け大破炎上、翌日6日に駆逐艦の魚雷で自沈処分となった。空母4隻すべてが沈没したこの海戦では、空母集中運用の弱点を突かれた形となったのである。

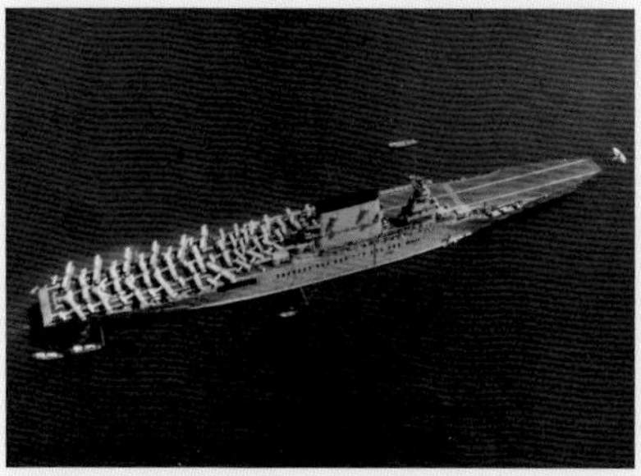

◀「赤城」と同様にワシントン海軍軍縮条約により巡洋戦艦から改装されたアメリカ海軍の「レキシントン」。当初から全通式飛行甲板で、艦橋の前方と煙突の後方に20cm連装砲塔2基ずつを搭載している

三段甲板「赤城」への憧憬

ハセガワ「日本航空母艦 赤城“三段甲板”」(品番220)がウォーターラインシリーズに登場したのは2008年。波しぶきをあげながら洋上を突き進む「赤城」をダイナミックに描いた加藤単駆郎氏のボックスアートを見て、心躍らせた方も多いのではないでしょうか。私はこれに魅了され、何としても作ってみたいと思い、すぐに購入して作り始めました。しかし当時は、今よりもずっと技術が未熟だったこともあり、途中で満足いかずに作りかけで放置した状態となっていました。今回の製作はそのリベンジとなります。

製作に当たっては、ハセガワ純正の各種ディテールアップパーツと、トムスモデル「日本海軍航空母艦 赤城(三段甲板)用」(品番PE315)を使用しました。トムスモデルのディテールアップパーツは、純正エッチングパーツにはない部分のトラス支柱もエッチングに置き換えることができるので、より精密感を高めることができます。

作例は仮設艦橋が設置された昭和9(1934)年頃の中期型として製作しました。理由は、前期型では着艦制動索が縦索式となっており、それをうまく表現する方法が思いつかなかったからです。なお後になってわかったのですが、仮設艦橋が設置される前に、着艦制動索が横索式だった時期が、短いながらあったことがわかりました(機銃座は増設された状態)。

船体の工作

では、製作の説明に入っていきますが、製作に着手するまでは、三段甲板「赤城」は「バーラム」に比べればずっと楽に製作できるだろうと思っていました。ところがいざ作り始める

日本海軍 航空母艦 赤城
飛行甲板艦橋設置後、昭和9(1934)年

IMPERIAL JAPANESE NAVY AIRCRAFT CARRIER AKAGI
AFTER FLIGHT DECK BRIDGE REFIT, 1934

【製品データ】
- ◆日本海軍 航空母艦 赤城“三段甲板”
- ◆発売元/ハセガワ
- ◆3600円+税、発売中
- ◆1/700、約37.3cm
- ◆プラキット

と、「はてどう工作したらよいものか」と悩むことの連続でした。どっちつかずの中途半端な判断となってしまった部分が、多々ありますことを予めご了承ください。

船体は、パーツ側面のモールドと短艇甲板へと繋がる部分の舷外通路、右舷側にある小さいフラットを削り落としました。エッチングパーツに置き換えるトラス支柱のモールドを削り落とし、一部では縦に穴が開くのでプラ棒で塞ぎます。また、プラ材で作り変えることによって必要となくなるダボ穴もすべて埋め戻しました。

煙突の前後にある缶室給気口は、凹モールドになっているだけなので開口します。裏側から彫刻刀などで少しずつ削いで薄くしていき、光が透けるぐらいになったところで、外側から押して打ち抜きました。昭和5(1930)年、神戸沖に碇泊中の写真を見ると、この缶室給気口の内側には柱(あるいは壁)の様なものがあります。内側から単にプラ板を当てるだけでなく、内部にも構造があるようにそれらしく作成しました。

船底パーツを接着したあと合わせ目を修正し、それに合わせてモールドを削り落とす際にできたキズを消しました。合わせ目にできる小さい隙間や小キズの修正には瞬間接着剤を使っています。舷窓は0.5mm径のドリルで彫り直しましたが、丸窓のモールドが小さかったおかげで、伸ばしランナーで一度塞いでから彫り直すという手間はかかりませんでした。

船体外板の表現には、GSIクレオス「Mr.ハルモールド チゼル」を使いました。購入時のままだと刃先の厚みが0.2mmほどあるので砥石でシャープに研いであります。ひとつここで厄介なのは、外板のラインが水平ではなく、艦首から艦尾に行く

▲三段の飛行甲板。前方から下段の発甲板、中段の砲塔甲板、上段の発着甲板となるが、中段中央には羅針艦橋が配置されていたため飛行甲板としては使用できなかった

に従って下がっていることです。しかも途中から少し角度が変わっています。大きなアクリル板に船体をネジで固定し、艦尾側にプラ板をはさむことで角度を調整してスジ彫りを入れました。入れたスジは、縁が少し盛り上るので目の細かい紙ヤスリで均します。ところどころスジが浅くなるので、ケガキ針でケガいてスジを入れ直し、また紙ヤスリで均します。この作業を何度か繰り返しました。きれいにスジ彫りを入れるにはそれなりに時間がかかります。

横方向に続いて、縦方向の継ぎ目を表現します。金属棒で断面を扁平に加工した伸ばしランナーを接着していきます。接着にはリモネン系接着剤を使用しています。理由は他の流し込み接着剤を使うと伸ばしランナーが溶けすぎてしまうからです。充分乾いたのを確認してから、800番のスポンジヤスリを当てて、段差を少なくして船体表面になじませるようにしました。溶接痕のように見せるのが目的です。以前にも同じ手法を使ったことがあり、その時の仕上がりが気に入っていたので同じ方法を採ったのですが、今回は攻めすぎてしまったようで、スポンジヤスリを当てすぎて、肉眼ではまったく見えなくなってしまいました。ルーペで見てやっと確認できるくらいです。

ところで「なぜ外板表現にサーフェイーサーを使わないのだろう」と思う方もいるかもしれません。サーフェイサーを吹き付けた時の、周りが粉っぽくなる感じがどうにも苦手で、過去に一度試したきりで使っていません。

ディテールアップパーツの使用法

プラ材で工作した部分は、製作中の画像で確認できると思いますので、使用したディテールアップパーツについて説明したいと思います。

船体と煙突にあるジャッキステーには鎌倉模型工房「1/700艦船模型用 精密ジャッキステー」(品番KMN-0003)を使用しました。一定の間隔で支柱が長くなっていて、その部分をドリルで開けた穴に差し込んで固定するようになっています(接着には流し込みタイプの瞬間接着剤を使用)。差し込む支柱の間隔は3タイプが用意されており、取り付け用の穴開けガイドテンプレートも付属しています。

支柱を差し込む穴のサイズは、理想としては0.1mm径なの

▼ハセガワのキットは昭和2（1927）年～9（1934）年「初期型」と昭和9（1934）年～10（1935）年「中期型」の選択式。本作例では昭和9（1934）年頃として製作している

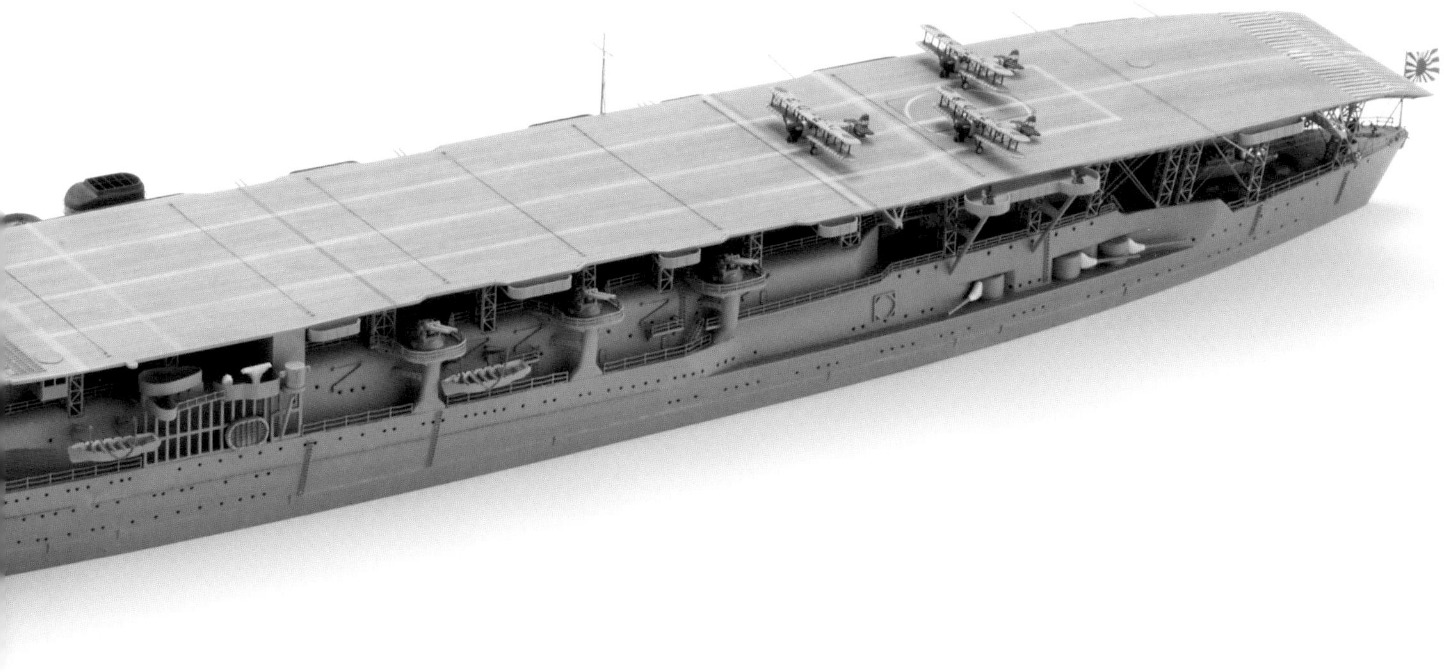

ですが、現実的には少々厳しいところがあります。0.1mm径ドリルは基板用のものがネットで購入できるのですが、きわめて脆弱でいとも簡単に折れてしまいます。もともとボール盤に取り付けて使用するものなので軸が太く、一般的なピンバイスには取り付けることができません。ゆえに手で回すか、自分で何らかの治具を作るしかありません。ただ、一般的なドリルだと右回りに回し続けないとなかなか掘れていきませんが、このドリルは指先で右左と回転方向をちょこちょこと変えて回すだけで結構スムーズに掘れていきます。しかし先に述べたとおり非常に脆弱なので、先端に少しでも曲げの力が加わると折れてしまいます。私の経験上、ジャッキステーの支柱を差し込む穴は、5回ぐらい左右に往復して回転させれば充分です。このドリルは、以前はサイズの異なるセット（0.1～1.0mmの10本）でしか売られていませんでしたが、最近では0.1mm径のみの10本セットも販売されており、安いものは600円程度なので、気になる方はチェックしてみてください。ただ、初めて見る方にはそのあまりの弱さに面食らうかもしれません。

作例では、船体は0.1mm径で穴を開けていきましたが、煙突の部分で折れてしまったため、途中から0.2mm径ドリルを使いました。0.2mmの穴だと隙間が開くので少々気になります。そこで空いた隙間に先端を斜めにカットした伸ばしランナーを差し込んで埋めていきました。伸ばしランナーを差し込んだ部分は少し跡が残るので、小さくカットしたスポンジヤスリをピンセットでつまんで修正しました。

前述のトムスモデルのエッチングパーツのトラス支柱は、モールドを削り落として置き換える部分のみを使用しました。場所を忘れてしまいましたが、1カ所だけ飛行甲板裏側のモールドと干渉するところがありました。たしか後ろ側だったと記憶しています。気付かずに飛行甲板パーツを乗せてしまうと変形してしまいますので、使用する場合はよく確認してください。パーツを置き換える部分のトラス支柱は、強度重視でハセガワ純正のエッチングパーツを使用しました。純正なのでスムーズに取り付けられるかと思いましたがそうはいかず、取り付け部の窪みを削ったり、エッチングパーツ自体を削る必要がありました。

飛行甲板では、ハセガワ純正の「航空母艦 赤城 三段甲板用

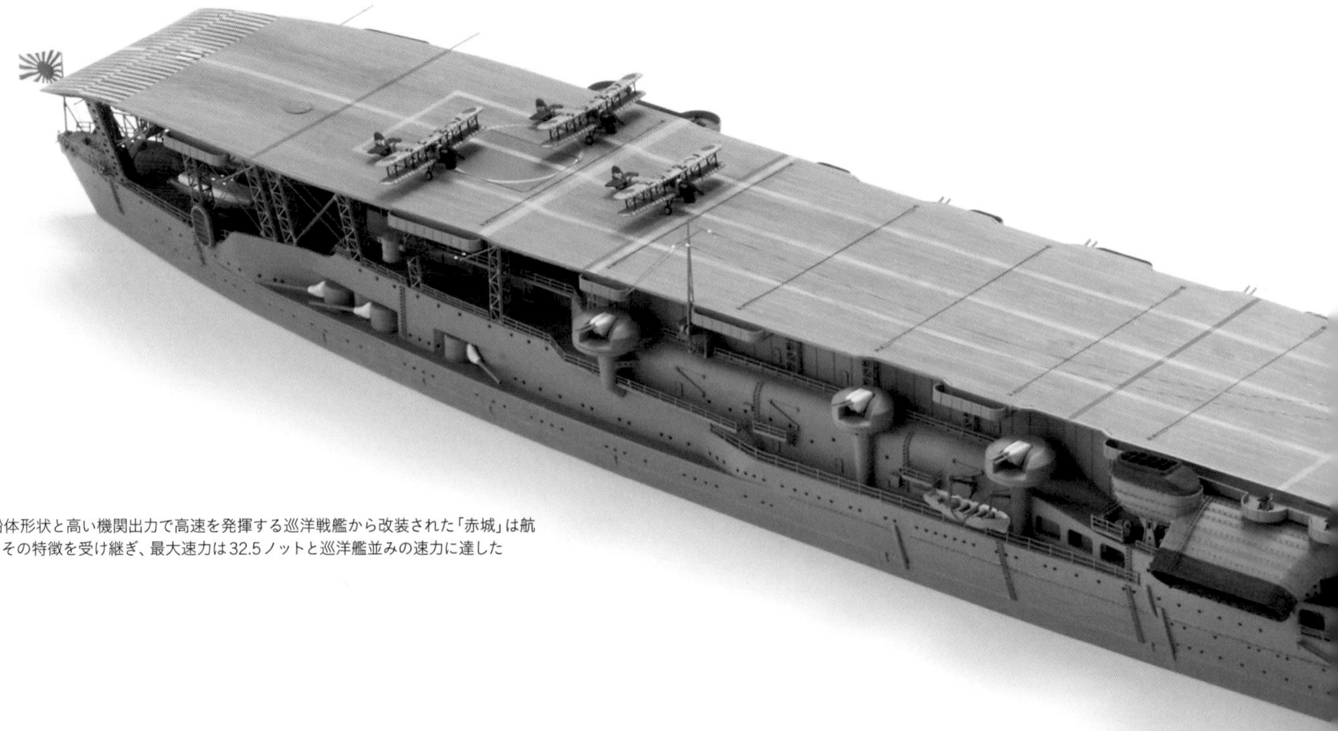

▲細長い船体形状と高い機関出力で高速を発揮する巡洋戦艦から改装された「赤城」は航空母艦でもその特徴を受け継ぎ、最大速力は32.5ノットと巡洋艦並みの速力に達した

木製甲板」（品番QG24）に含まれるエッチングパーツのうち、遮風柵のみ使用しました。着艦制動索は伸ばしランナーで表現しています。手摺りのほとんどは、テトラモデルワークス「WWII日本海軍 手すり」（品番SA7007）を使っています。

甲板の研究

三段甲板の赤城を作るにあたって最も悩んだのが塗装で、次の3つの部分で判断に迷いました。

まずひとつ目は、20cm連装砲周囲の床です。写真を見ると何かシートでコーティングされているように見えます。押さえ金具はなく、シートの端を少し重ね合わせるように張られており、いわゆるリノリウム張りとは明らかに異なります。

ふたつ目は、高角砲周りの床です。周囲の構造物に比べて濃い色で写っており、こちらは滑り止めの塗料を塗ってあるような気がします。

3つ目は、短艇甲板部分です。押さえ金具は通常のリノリウム甲板に見られるものと異なり、鋲がごつごつと突出しています。床面のツヤもまったくありません。私は過去に実際に建物の廊下に敷かれているリノリウムを見たことがあるのですが、その時の印象から、リノリウムの床は重量物を取り扱うような、たとえば工場内の床には向いていないと感じています。このため艦載艇（三段甲板時代は水上機も）を取り扱う部分は、通常のリノリウム甲板とはまた別の材質なのではないかと思いました。

以上の三つのエリアの塗装であれこれと悩みましたが、当然ながら、それを解決してくれる資料があるわけもなく、結果的には中途半端な塗装となってしまいました。

木甲板色の色調

モヤモヤとして煮え切らない思いでしたが、そんな中でもひとつ収穫はありました。今回、木甲板の塗装を行う前に画像検索して木甲板の画像を集め、どの様な色で構成されているのか、画像編集ソフトでランダムに色を抽出してみました。集めた色をCMYKに変換してみると、どれもC（シアン）の値はゼロを示しました。すなわち青系の色合いは一切ないということです。

これはあたりまえのことかもしれません。しかしそのあたり

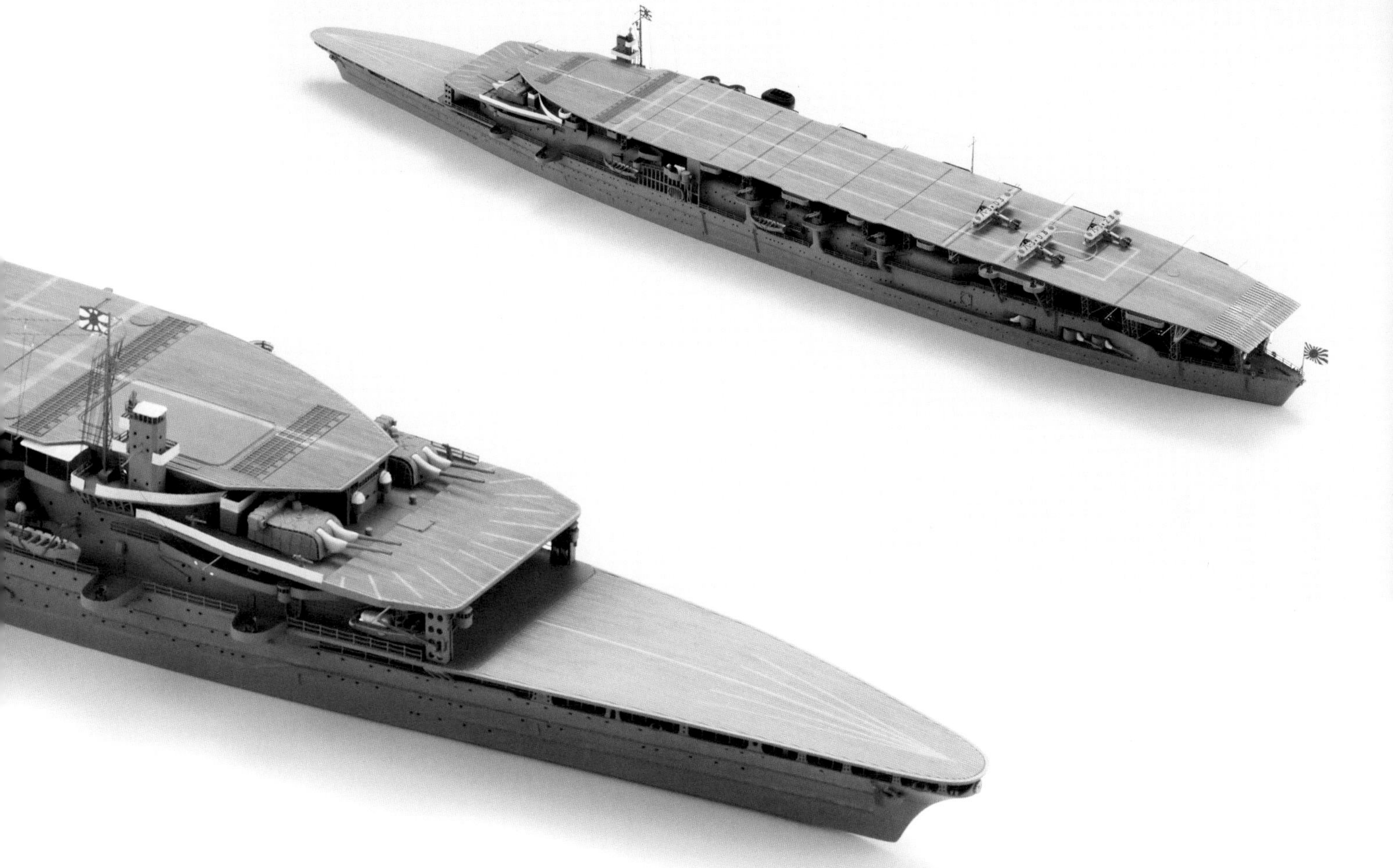

▼昭和9(1934)年の改装では発着甲板に「加賀」から移設した仮設艦橋が設置された他、対空兵装として25mm連装機銃を増備、左右両舷後部にスポンソンが追加された

まえのことを私は今まで塗装に反映してきませんでした。グレー系の塗料は青が入っているものが多く、これを安易に木甲板色の明度・彩度を下げるために混ぜてしまうと、青の成分が入ってしまいます。実際、木甲板色の調色をしていて、わずかに緑がかってしまったと感じることがありました。

また、塗料に青の成分が入っていなかったとしても、下地色の影響でも色相は変化します。ちょっと気になって、塗装前のパーツが写った画像を調べてみました。するとハセガワとフジミ模型のプラパーツでは、どちらもHSV値でH（色相）は青色の色相を示しましたが、トランペッターのプラパーツでは、HSV値のH（色相）とS（彩度）がゼロを示しました。つまり色相のないグレースケールカラーということです。

これは確かに実感としてありました。ピットロード「バーラム」（製造はトランペッター）の木甲板を塗装しているときは、作成したカラーが素直に発色してくれましたが、「赤城」の飛行甲板を塗装しているときは、イメージした通りの色になってくれないと感じていました。

成型色が塗装に影響するのを防ぐには下地にサーフェイサーを吹くという手段があります。ただ、私がそれを選択することは、たぶんありません。前述のとおり苦手というのもありますが、一番の理由は、厚い塗膜が後からプラ材（着艦制動索の伸ばしランナーなど）を接着する際の妨げになってしまうからです。今後はグレースケールカラーを作成し、成型色によっては、それを塗ってから木甲板の塗装を行おうと思いました。

最後に

この「赤城“三段甲板”」の製作には約370時間もかかってしまいましたが、果たしてそれに見合うものを残せたのか、私自身疑問を感じています。キットと実物との相違点などいろいろな発見もありましたが、ハッキリとわかるところよりも、画像が不鮮明で形状がよくわからない部分のほうが多く、曖昧な判断のまま製作せざるをえない部分が多かったからです。

艦船模型の多くは現在存在しない過去のものですが、そういった中でも調べれば調べるほど実像がわかってくるものと、逆に調べれば調べるほど迷路に迷い込んでしまうものがあります。三段甲板「赤城」は後者だと感じました。

船体・甲板の工作

1

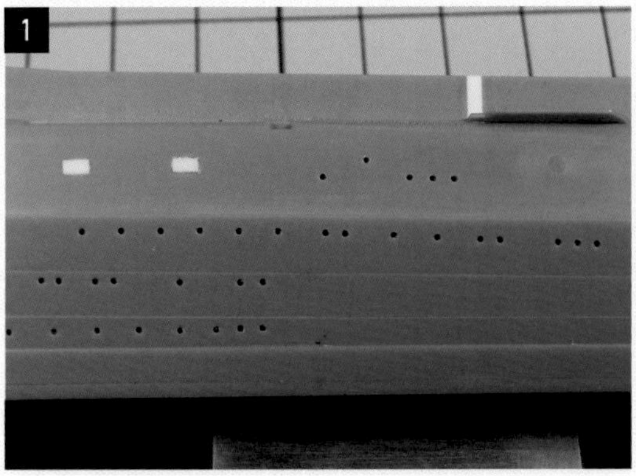

◀船体のモールドを、ほぼすべて削り落としてから、ＧＳＩクレオス「Mr.ハルモールド チゼル」で船体にスジ彫りを施した

2

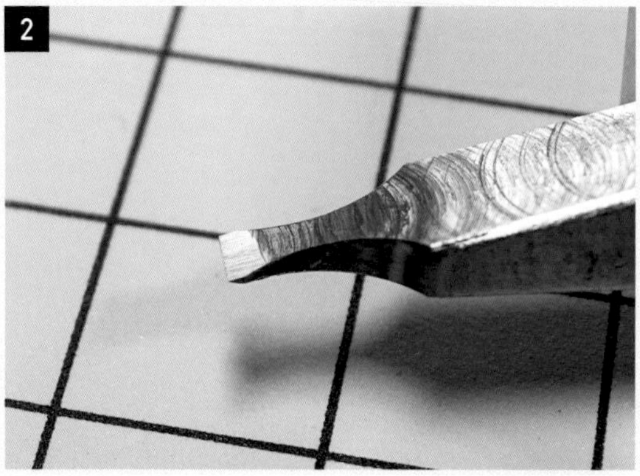

◀Mr.ハルモールド チゼルは、購入したままの状態だと刃先が厚いので、砥石でシャープに研ぎ出して使用している

3

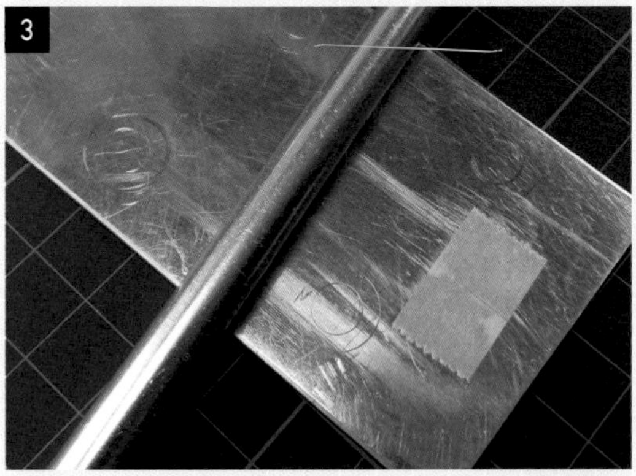

◀上下だけでなく、横方向にも船体外板の継ぎ目を表現するため、縦に伸ばしランナーを接着していった。写真は伸ばしランナーを金属棒で平たく加工しているところ

4

◀平たく加工した伸ばしランナー。カッターマットのマス目と比較してどれぐらいの太さか、だいたい感じていただけると思う

5

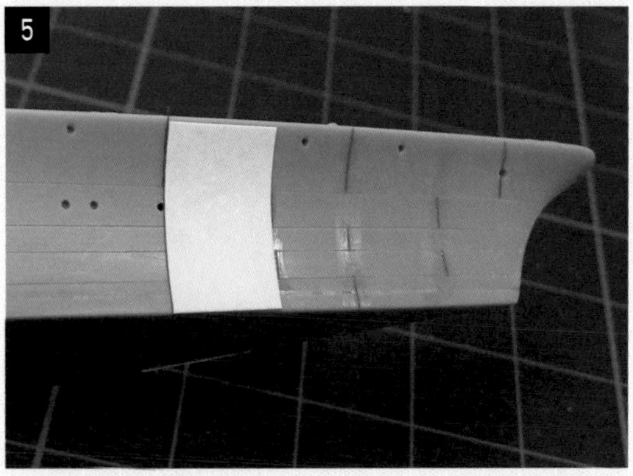

◀伸ばしランナーを船体に接着しているところ。接着する時は、端部を通常タイプのリモネン系接着剤で固定した後、リモネン系の流し込み接着剤で全体を固定する。両面テープを貼り付けたコピー用紙を、一定の幅にカットしてガイドとしている

6

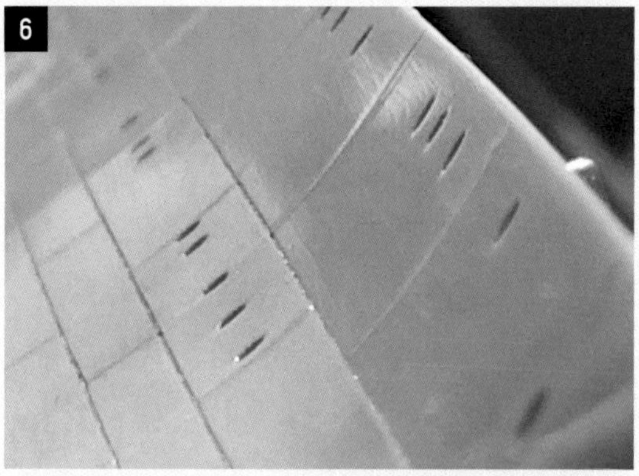

◀充分に乾いてからスポンジヤスリの８００番でヤスリ掛けをする。過去にも一度この手法を使ったことがあるのだが、今回は攻めすぎたようだ。完成後にヘッドルーペで見てもほとんど確認できないぐらいの微妙な表現になってしまった

7

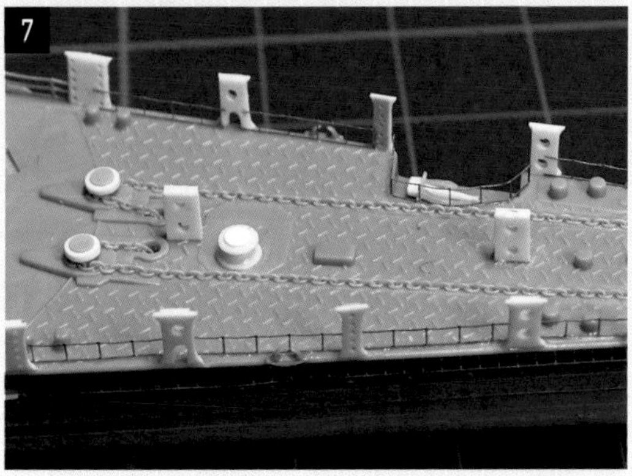

◀下段飛行甲板の支柱はすべてプラ板で作り直した。実物の写真をよく見ると小さい穴が縦２列に並んでいるのは前方だけで、すべてが同じ穴の開き方をしているわけではない

8

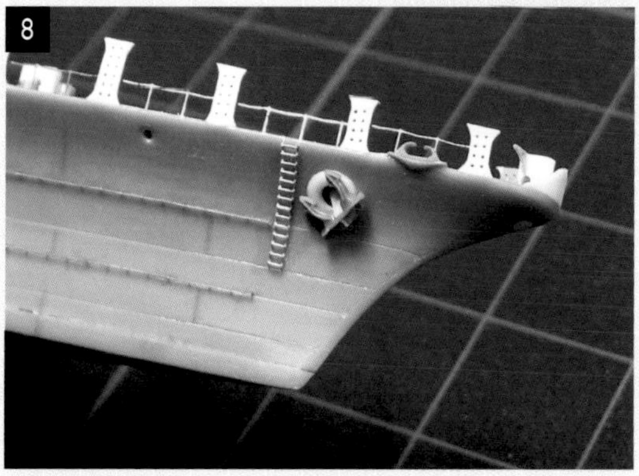

◀ベルマウスはプラ棒で作成。フェアリーダーとアンカーはファインモールドのナノ・ドレッドを使用。ムアリングパイプはプラ材で埋めているが、ブイが甲板上から繋がっている写真しかなく、三段甲板時代には存在しないと判断した

上部構造物の工作

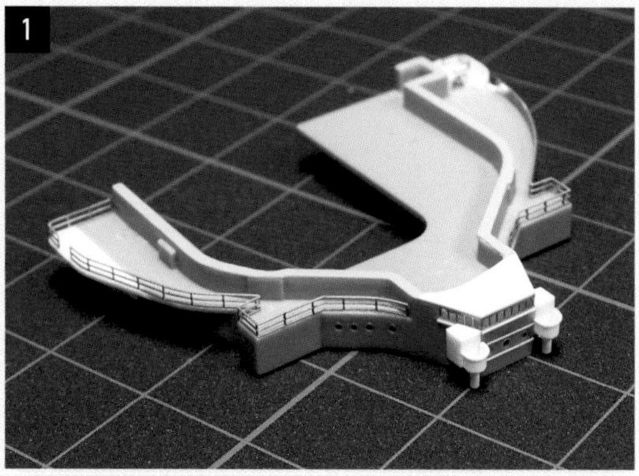
1

◀ディテールアップした羅針艦橋部分。パーツの端を一部カットしてプラ板を継ぎ足しているが、考え直して、後からまた削ったりしているので、実際には元の状態とほとんど変わっていないかもしれない

2

◀下段飛行甲板と同じレベルに増設された機銃座は、支柱を除いてプラ板で作り直した実物の画像を見ると両端は三角プレートで支えられているように見える

3

◀煙突はジャッキステーと梯子のモールドをすべて削り落とし、小さいほうの煙突の排煙口も開口。写真では見えていないが、裏側にある煙突の支持構造もプラ板に置き換えるために削り落とした

4

◀鎌倉模型工房「1/700 艦船模型用精密ジャッキステー」でジャッキステーを再現。排煙口の金網はトムスモデルのエッチングパーツ

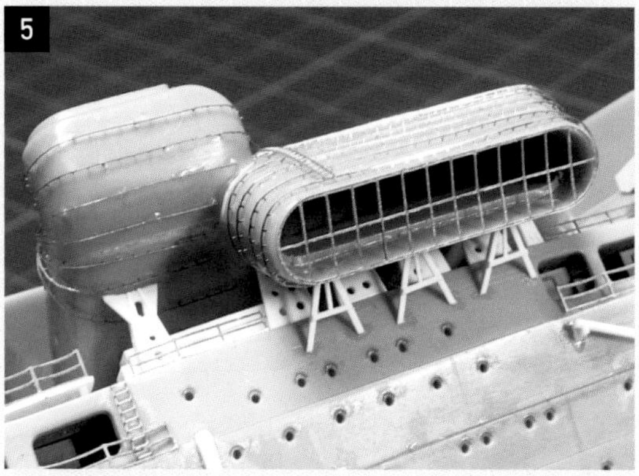
5

◀煙突の支持構造物をプラ板で作成した。実物の写真では陰になってほとんど見えないので、想像を多く含んでいる

6

◀格納庫側壁に並ぶトラス支柱は、トムスモデルのエッチングパーツに置き換えた。柱と柱の間は扉以外に何もなく、間延びした感じがするので、タミヤの0・05㎜厚プラペーパーを等間隔に接着してメリハリをつけた

7

◀昭和4年と5年に右舷側から撮影された画像を見ると、煙突後方に平らな台状のスペースが設けられているのが確認できるので、プラ板で追加した。なおこの部分には、画像を見るとウインチらしきものが見えるので、後からウインチ（ヤマシタホビーの特型駆逐艦キットの余剰パーツ）を取り付けた

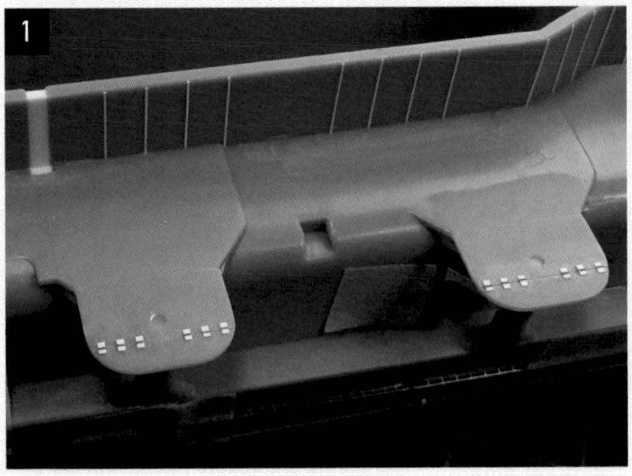

1

◀左舷側に並ぶ高角砲台座は、実物の写真から前端部が跳ね上げ式になっているのが確認できるので、それらしくプラ材でディテールを追加した

2

◀高角砲台座周りの補強プレートや舷外通路は、モールドを削り落としてプラ板で作り直した。舷窓の庇は伸ばしランナーで表現している

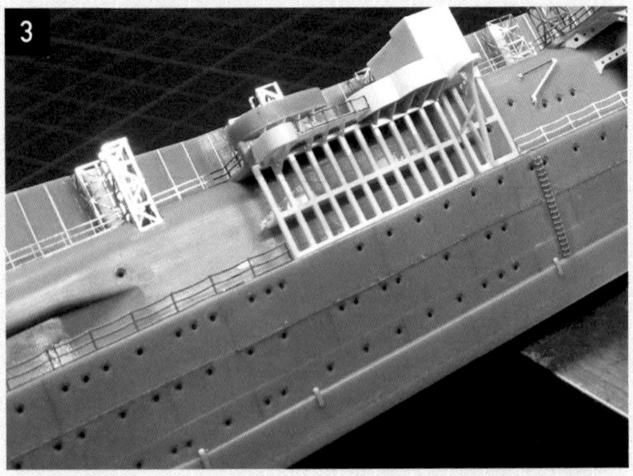

3

◀左舷側の細い柱が立ち並ぶ特徴的な部分（円材格納所）は、プラ角棒（エバーグリーン０・４㎜×０・５㎜）で作り直した

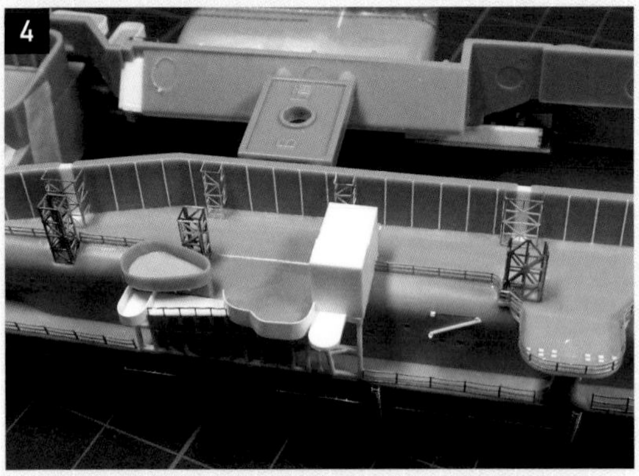

4

◀左舷側にある四角い構造物は、パーツの状態よりもずっと大きく見えたので、プラ板で作成した

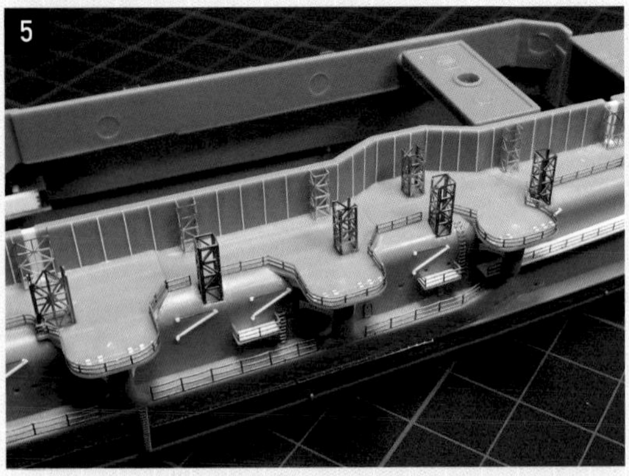

5

◀キットの船体パーツでは、側面に小さいフラットがあるのは右舷側だけだが、左舷側にも同様のフラットが確認できるのでプラ板で追加した

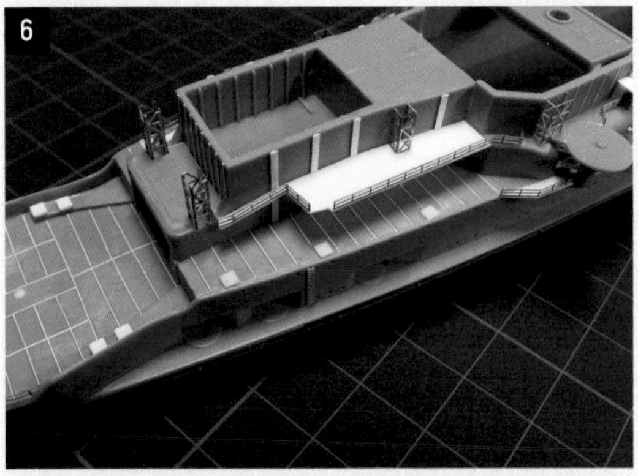

6

◀昭和６〜７年ごろの写真から、短艇甲板の前方が二段になっているように見えたのでプラ板で付け加えた。ハンギングレールの配置と矛盾するが、とにかく見えたままで作成した

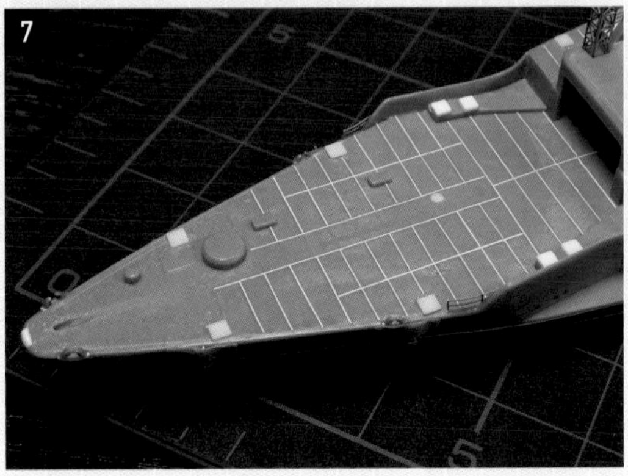

7

◀短艇甲板床面の押さえ金具は０・１３㎜厚プラ板を、さらに薄く削いでから細く切ったものを貼り付けて表現した

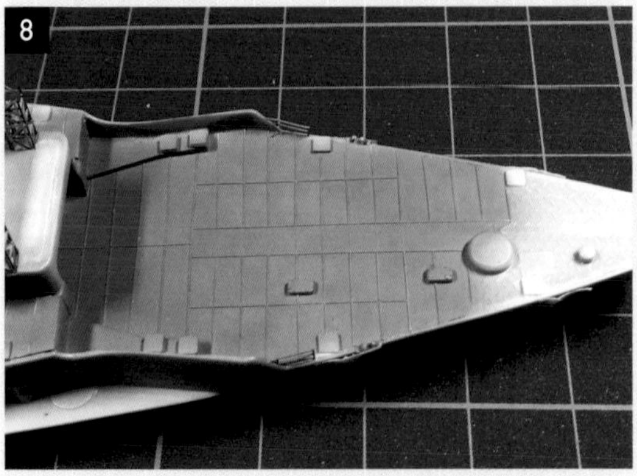

8

◀短艇甲板の塗装はかなり悩んだ部分。結果的にリノリウム色と軍艦色を混ぜ合わせるという安易な手段を選択してしまった

飛行甲板の工作

◀中段甲板を写した写真の20㎝連装砲周りの床を見ると、何らかのシートが貼られているように見えたので、連装砲を取り付ける部分をいったん削除して、スジ彫りを施してからまたプラ材で再生した

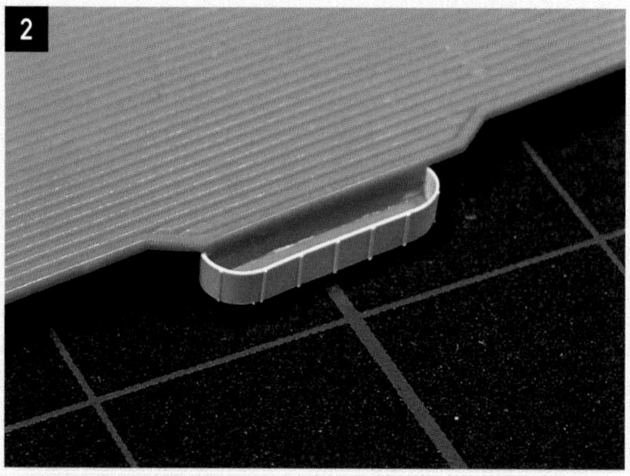

◀飛行甲板の両サイドに並ぶ作業員控所は、ブルワークのモールドを削り落とし、エバーグリーンの0・13㎜厚プラ板で作り直している

◀木甲板の塗装を終えた甲板パーツ。遮風柵はキット純正の木甲板シートに付属するものを使用。起こした状態にしたかったが、両端部のわずかな部分でしかつながっていないことから、製作中の破損のリスクを避けるために行わなかった

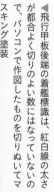

◀飛行甲板後端の着艦標識は、紅白線の太さが都合よく切りのよい数にはなっていないので、パソコンで作図したものを切りぬいてマスキング塗装

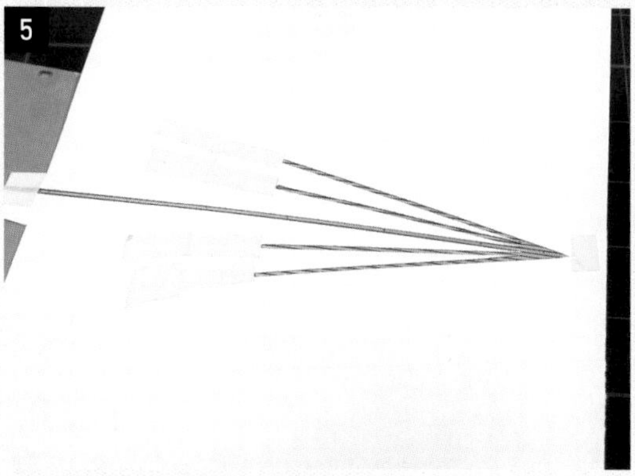

◀下段飛行甲板にある風向標識の白線も、パソコンで作図したものをカットしマスキングしている

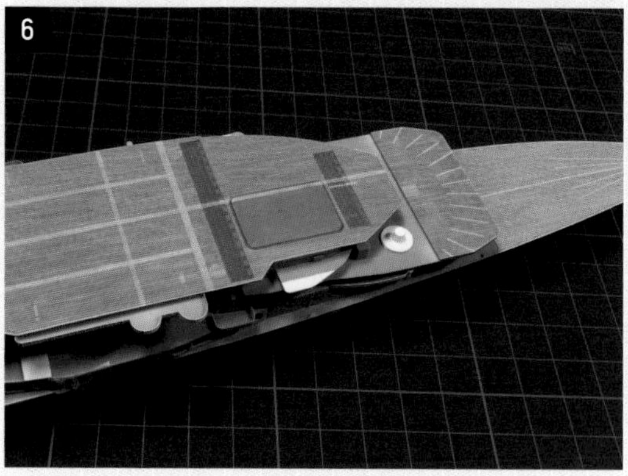

◀飛行甲板の塗装まで終わった状態（パーツは仮設置）。上方から撮影された写真では、どれも下段の飛行甲板だけが明るく写っているので、作例でも明度の差をつけて塗装した

◀飛行甲板後端の着艦標識の仕上がり。キットの塗装図では前後にわかれた部分の前方帯のみの指示だが、実艦写真より前後とも塗装。後方部分には表面が剥がれて木部が露出したような汚し塗装も加えている

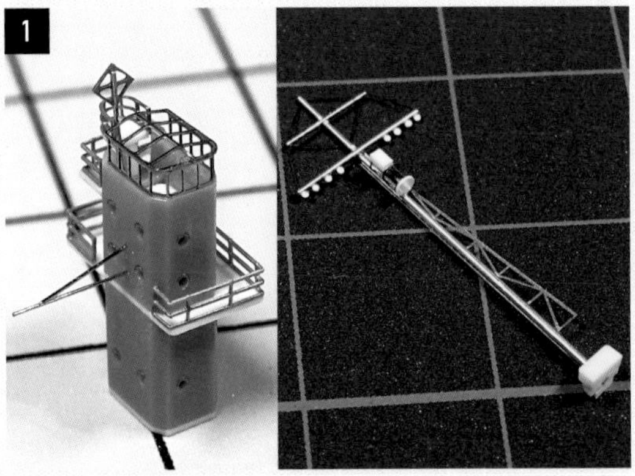

◀仮設艦橋は「加賀」の画像なども参考に、汎用エッチングやエッチングメッシュ、真鍮線などでディテールを追加。マストは真鍮線で作成。三角トラス部分はトムスモデルのエッチングパーツを使用

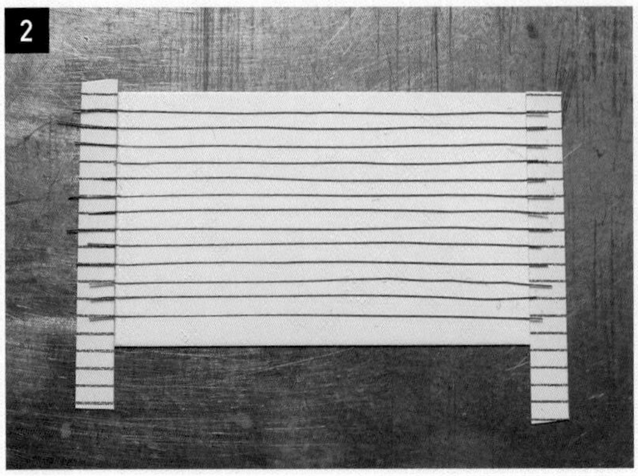

◀下段飛行甲板の格納庫扉の前で撮られた集合写真を見ると、扉の上部には緞帳の様なカーテンが取り付けられているのが確認できる。これをちょっと遊びで表現できるか試してみた。まずシールタイプのインクジェットプリンタ用のデカール（ホワイトタイプ）の粘着面に銅線を等間隔で貼り付ける

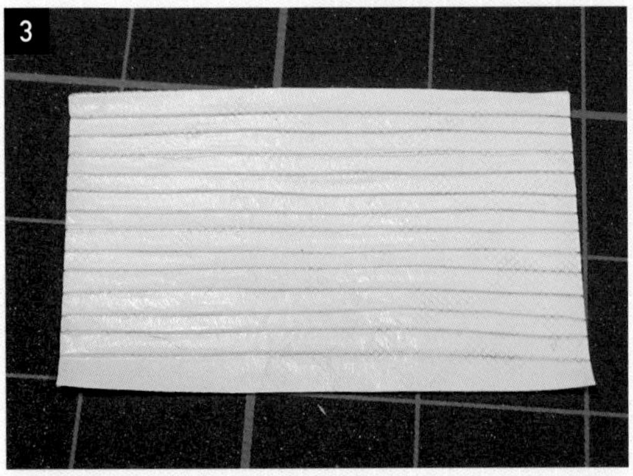

◀上からもデカールを貼って銅線を挟み込んで余分な部分をカットする

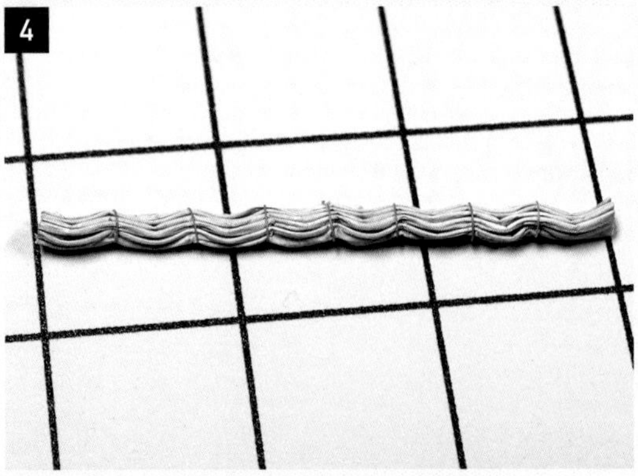

◀完成したカーテン。巻き付けてあるロープは伸ばしランナー。いちおうそれなりに形にはなっているが、決してスムーズに出来上がったわけではなく、あまりこの方法はお薦めできない

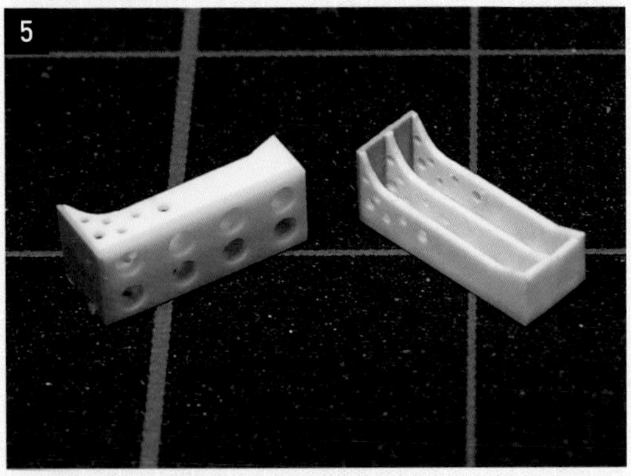

◀中段飛行甲板前端の支柱。トムスモデルのエッチングにもパーツはあるのだが、形状が少し異なっていることと、強度に不安があったのでプラ材で作成した

◀飛行甲板裏側の補強構造は、縁の部分のみ削り落として、細く切った０・１３㎜厚プラ板で作り直した

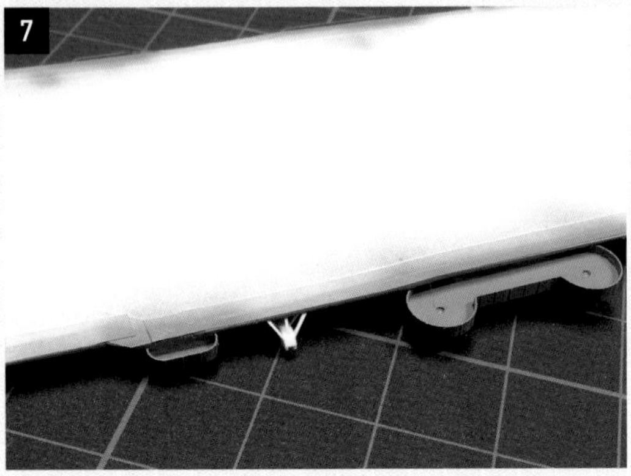

◀左舷後方の増設機銃座の前方に、ハンギングレール（？）が突き出しているのが見えたのでプラ材で追加した

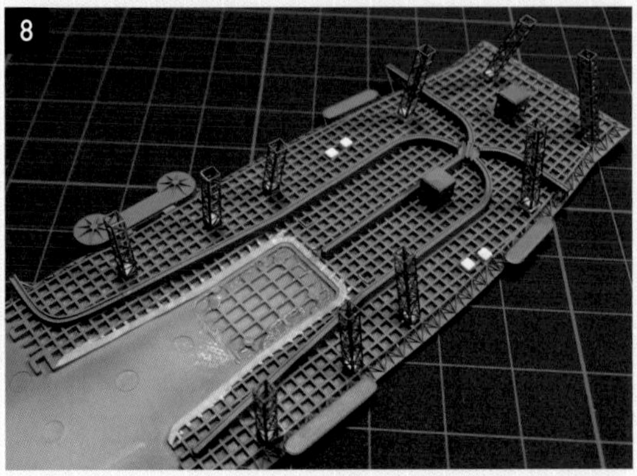

◀パーツを置き換える部分のトラス支柱は、すべてキット純正のエッチングパーツを使用。取り付け部分のモールドはエッチングとは合っていないので削り落としておく必要がある他、それぞれの箇所で高さの調整が必要である

砲熕兵器の工作

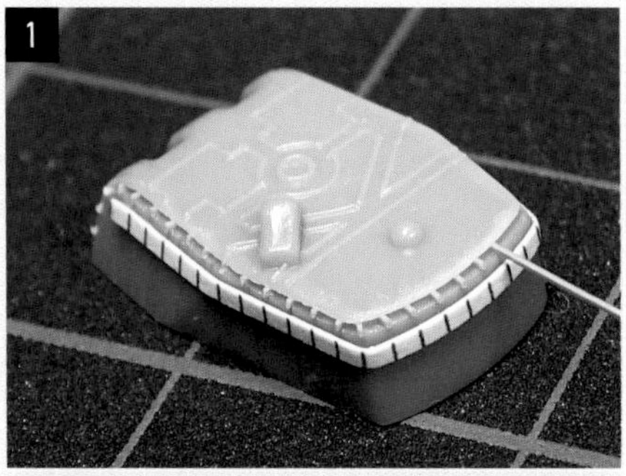

◀20㎝連装砲塔。スジボリ堂の0・2㎜幅タガネで角の部分を彫り込み、等間隔に細切りしたプラ板を接着していく。等間隔に接着する作業を行うことが多いので、等間隔線を印刷したプリンタラベルを常に用意している

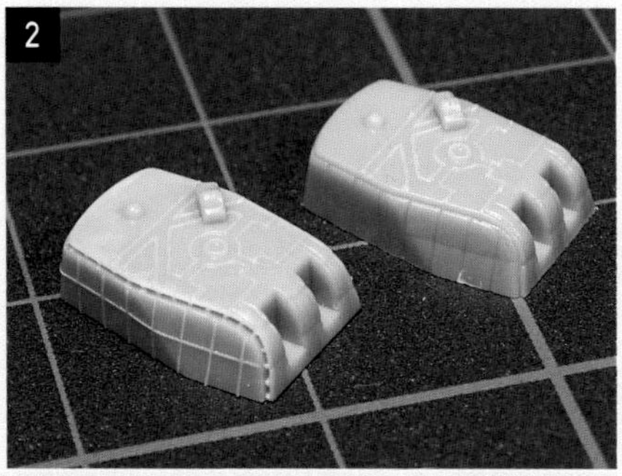

◀右が元の状態のパーツで、左がディテールアップ後。側面には伸ばしランナーでモールドを追加している

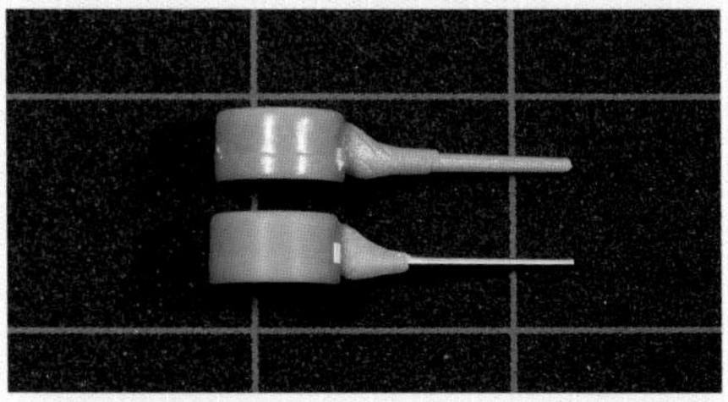

▲20cm砲砲身はアドラーズネスト「日本帝国海軍50口径三年式二号20cm砲砲身」を使用。防水キャンバスは金属砲身に合わせて短く加工した

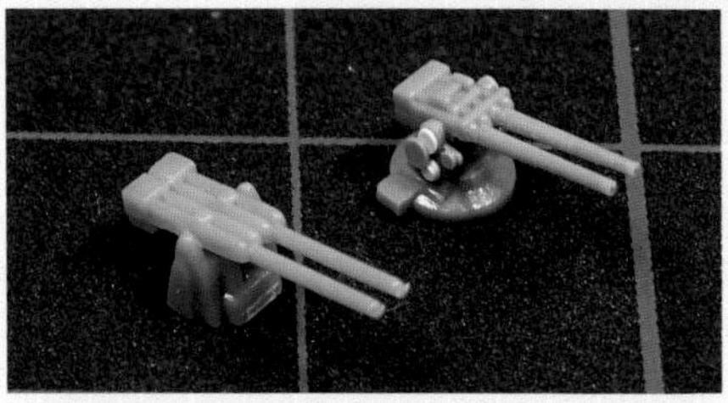

▲高角砲はキットパーツ（写真左）ではなく、実形状をよく再現したハセガワ「日本航空母艦 赤城」（品番227）のパーツを流用しディテールアップ

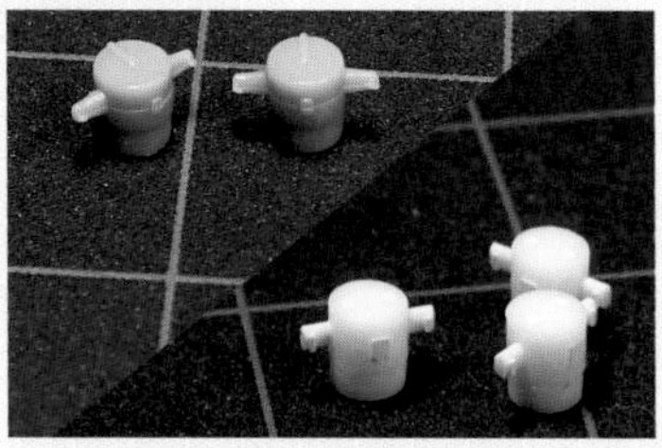

▲この時期の「赤城」後部左右舷に見られるシールド付きの測距儀。キットパーツは使わずプラ材で完全に作り直し、シャープな再現度を追求した

艦載艇・艦載機の工作

▲カッターはファインモールドのナノ・ドレッドを使用。まず内側をタンで塗装。パソコンで作成した図をもとにカットしたマスキングテープを貼り、ホワイトを塗ってからMr.マスキングゾル改でマスキングし、軍艦色で塗装

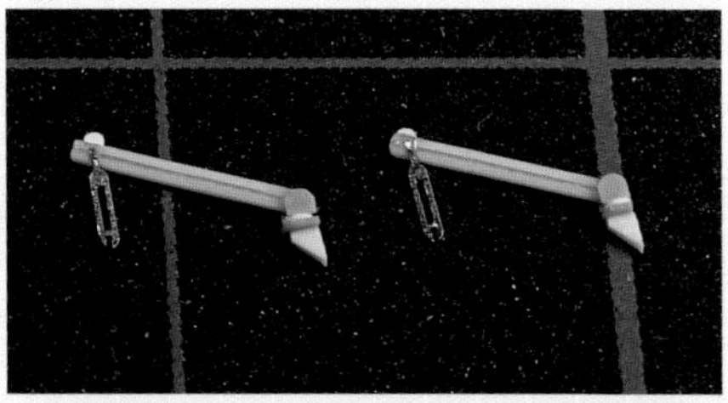

▲ボートダビットは、キットパーツは太さが気になったのでプラ板で自作。滑車はゴールドメダルのエッチングパーツ「1/700 商船用」（品番PE02）を使用。写真では確認しづらいが、先端をフックのように折り曲げてある

▲カッターを吊り下げるチェーン部分をファインモールド「メタルメッシュ長方形0914」（品番AE09）を加工して再現。カッターの底に穴を開け真ん中の部分を差し込んで固定。上部を折り曲げてあるのは、ボートダビットの先端に引っ掛けるようにするため

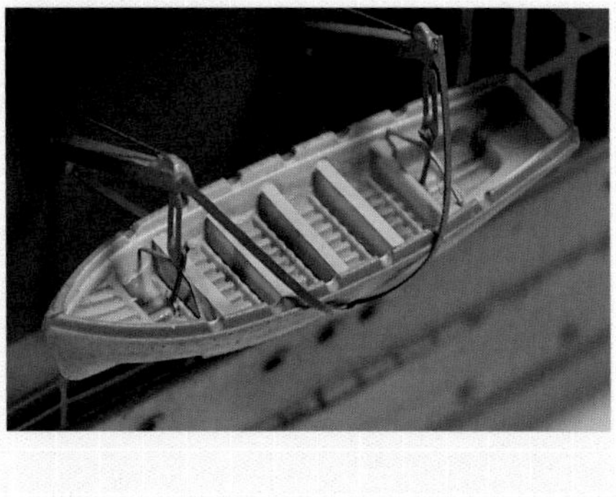

▶ダビットにカッターを取り付けた状態。フックに引っ掛けてから固定することで、傾くことなく確実に取り付けることができる

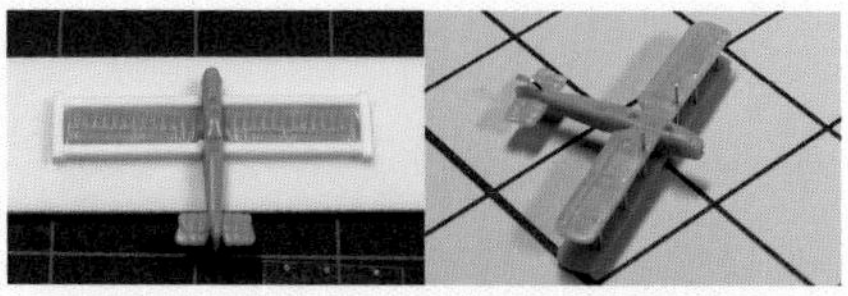

▲艦載機は、翼間支柱を同じ位置に取り付けるためにプラ板で治具を作成。0.2mm径の真鍮線を翼の下から貫通させる形で翼間支柱を再現。2本の支柱をそのまま車輪の脚とすることで強度を高めた

木甲板の工作

飛行甲板のモールド

▲ハセガワの三段甲板「赤城」飛行甲板のモールドは、艦首尾方向にのみスジ彫りモールドが入っている

▲こちらはフジミ模型「飛龍」の飛行甲板。艦首尾方向だけではなく横方向にもスジ彫りが入り、板の1枚1枚がモールドされている

▲またフジミ模型のキットでは板のモールドが3分の1ずつずらして施されている。なおこのキットでは板1枚の長さは1/700で約15mmになっている

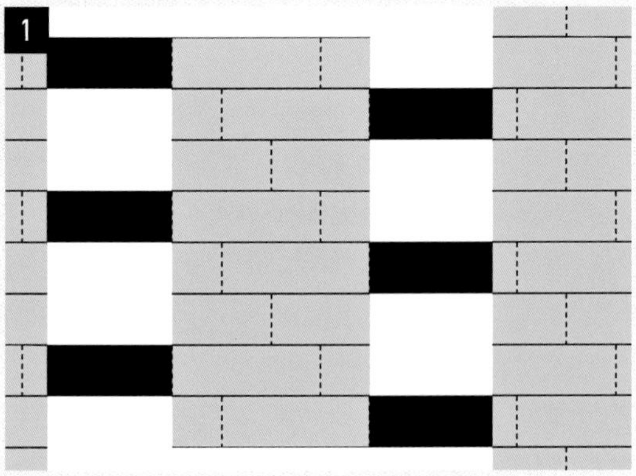

◀効率よく3分の1ずつずらしてランダムに塗り分けるため、次の様なガイドプレートを作成。ガイドの四角い穴は板1枚(15㎜)と3分の1の長さ。黒線は板3枚に1本の割合で引いており、左右で1段ずらしてある

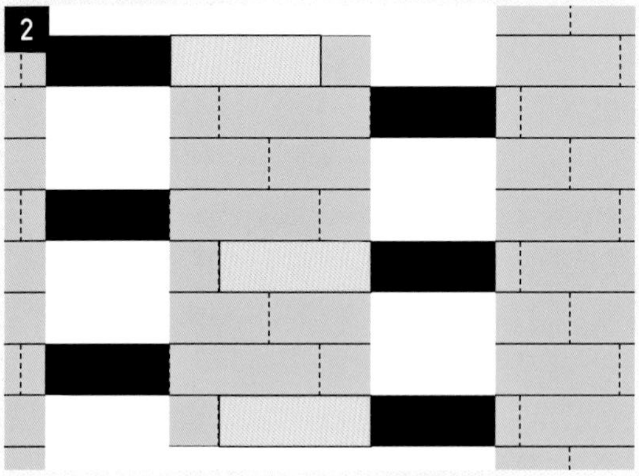

◀同じ色が隣り合わないように黒線に合わせてマスキングテープをランダムに貼る。ほどよくばらつかせるため、同じ列に貼るのは最も甲板幅が広い部分でも4、5枚が適当だろう

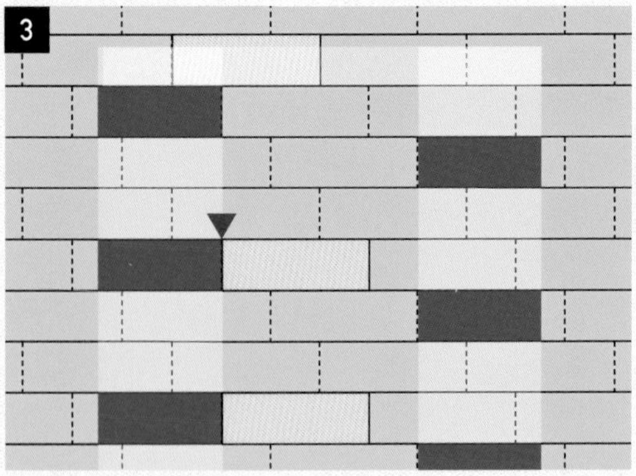

◀ガイドをずらして別のマスキングテープの端に左側の黒線を合わせる。なおマスキングテープはアイズプロジェクトの0・4㎜幅マスキングテープを使用した

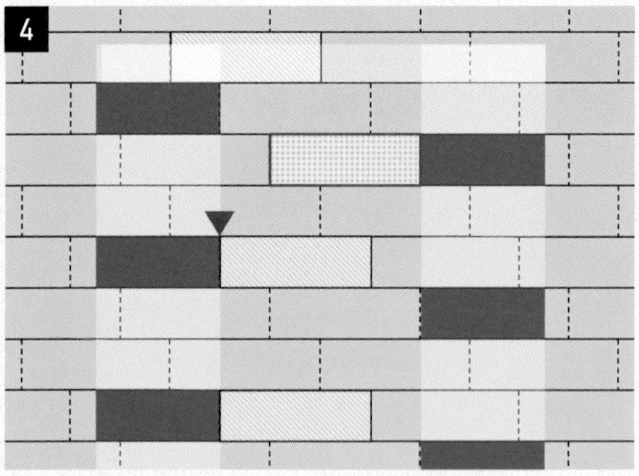

◀右側の黒線で隣り合わない部分に貼る。ここでも貼れる部分すべてに貼ってしまうと次の列に貼れなくなるので、いくつかはそのまま残しておく

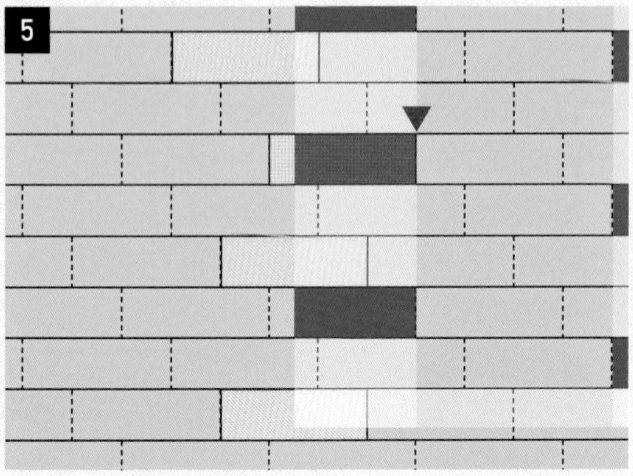

◀ガイドをずらして左の黒線をマスキングテープの端に合わせる。マスキングテープの左端か右端かというのは関係がない

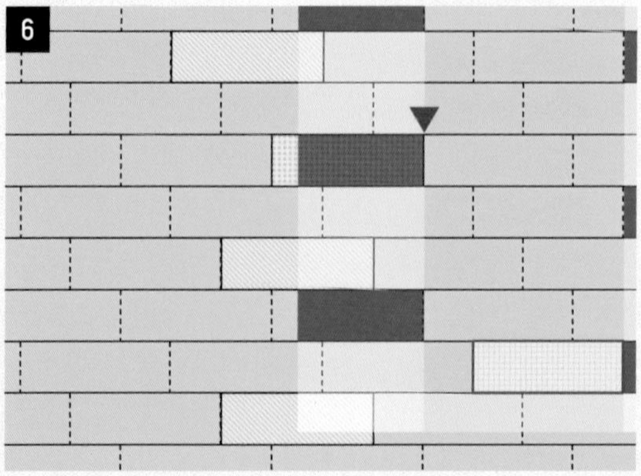

◀右の黒線で隣り合わずに貼れるところにマスキングテープを貼る。以上を繰り返していく。2色目以降はすでに貼られたマスキングの隣に貼ることができるので、ガイドを使う割合は色を重ねるごとに減っていく

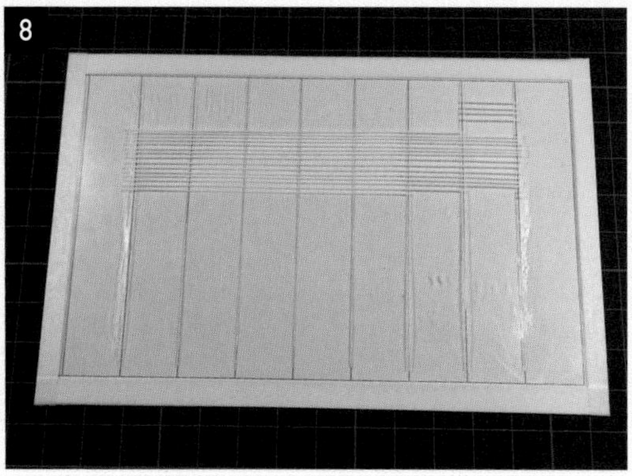

◀マスキングテープを15㎜長で効率よく大量に切り出す方法。15㎜間隔の線を印刷した紙に透明プラ板を重ねて固定したものを用意し、その上にマスキングテープを貼り、線に合わせてカット

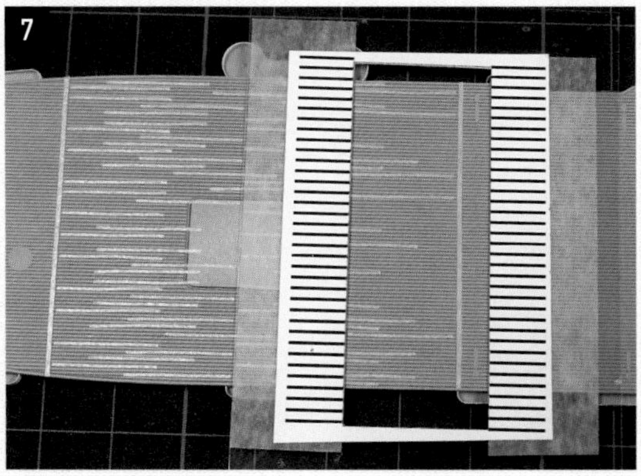

◀実際の塗装の様子。ガイドを作成してマスキング・塗装を繰り返すことで、木甲板をランダムかつリアルに塗装することが可能になる

9

◀チャートは画像検索で集めた木甲板の写真からランダムで色を抽出しCMYK値を表示してみたもの。注目してもらいたいのは、C（シアン）の値は全て「0」、つまり青系の色合いは一切ないということだ。詳細は本文を参照してほしい

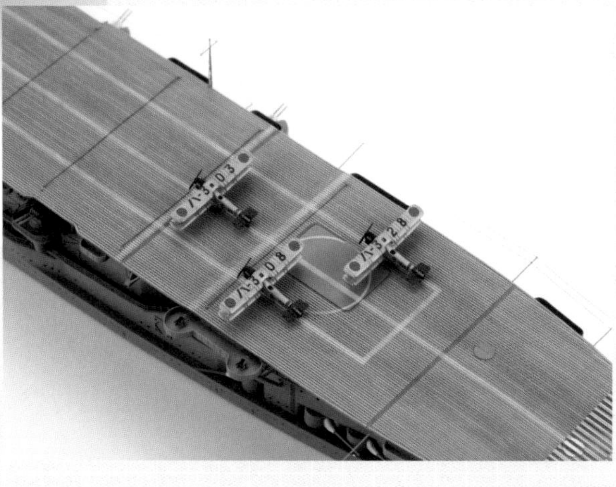

▼飛行甲板後部。木板のモールドに合わせてランダムに塗り分けられていることがわかる。着艦標識の白線は目立ち過ぎないように甲板色に合わせてトーンを落とす。着艦制動索はエッチングパーツは使わず接着しやすい伸ばしランナーで再現

▶艦首側の各甲板で色のトーンを変化させている。なお艦首側は複数のパーツを積み上げていく方式になっているので、部分的に大きな隙間が発生しないように仮組みして確認しながら組んでいったほうがよい

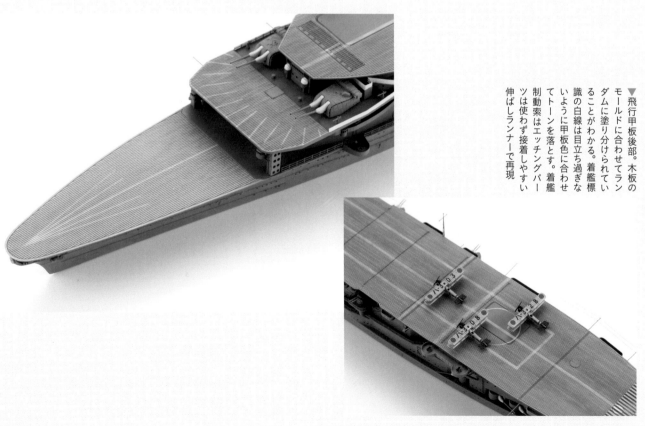

銅線を使った手摺りの固定方法

舷側に手摺りのエッチングパーツを取り付ける際、きちんと縁に沿って取り付けたはずなのに、気が付いたら波打っていたということはないだろうか。
原因は瞬間接着剤固化時の収縮によるものだが、これは手摺りが長ければ長いほど起こりやすい。
また、製作中に手が当たるなどして外れてしまったことはないだろうか。これらのトラブルを回避する方法として、銅線を使った固定の仕方を紹介する。

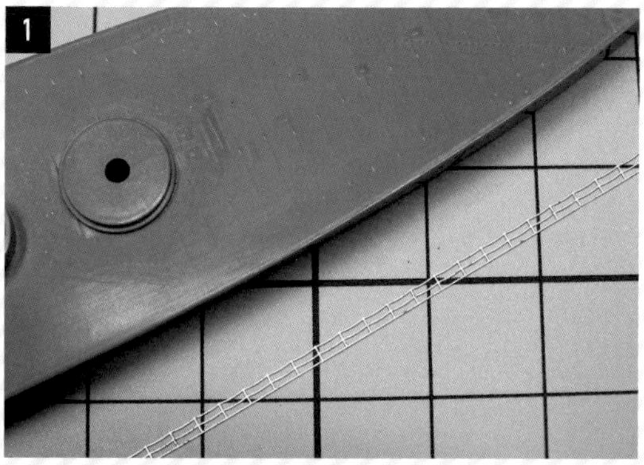

◀テトラモデルワークスのエッチングパーツ「WWII 日本海軍 手すり」（品番SA7007）を例に説明

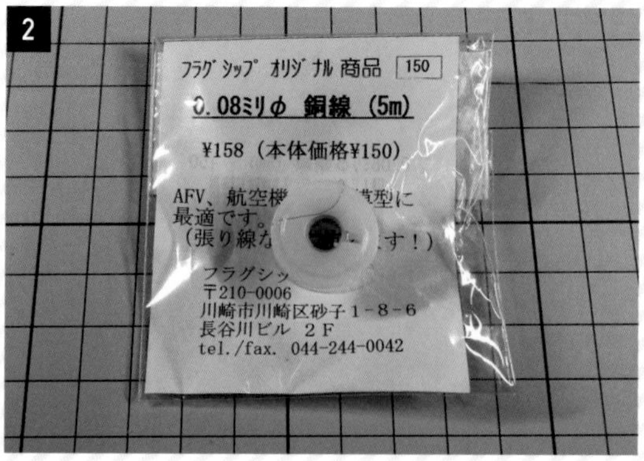

◀銅線は0・08㎜径が望ましい。写真はフラグシップから発売されているもの。流通量は多くないので入手しづらいのが難点

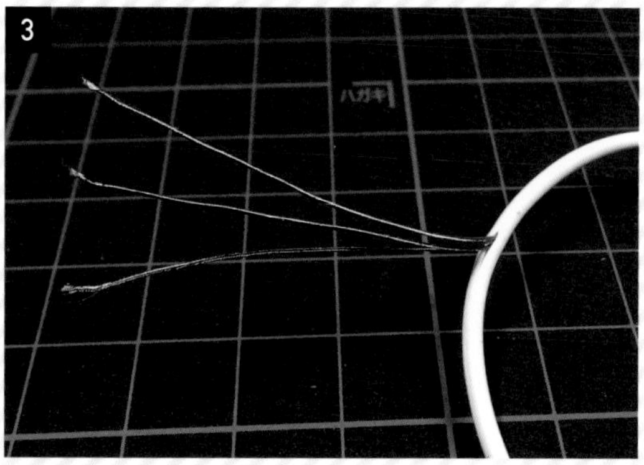

◀オススメなのが携帯音楽プレーヤーなどで使うイヤホンのコード。多くの人がひとつふたつは余っているものがあるのではないだろうか。取り出すのに少々手間はかかるが、格段に入手しやすい。なお、高価なものほど丈夫な銅線が使われているようだ

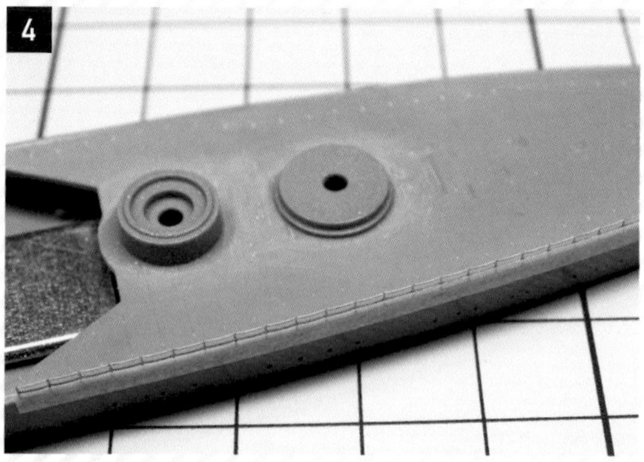

◀マスキングテープ（写真で使用しているのはアイズプロジェクトの2・5㎜幅）で手摺りを仮固定

◀銅線で固定する位置にマスキングテープなどで印をつける。手摺りのほうも取り付け箇所がわかるようにしておく。写真では赤いマジックで印をつけているが、油性顔料は上から塗装を吹き付けても沁みあがってくるので、後から拭き取る必要がある

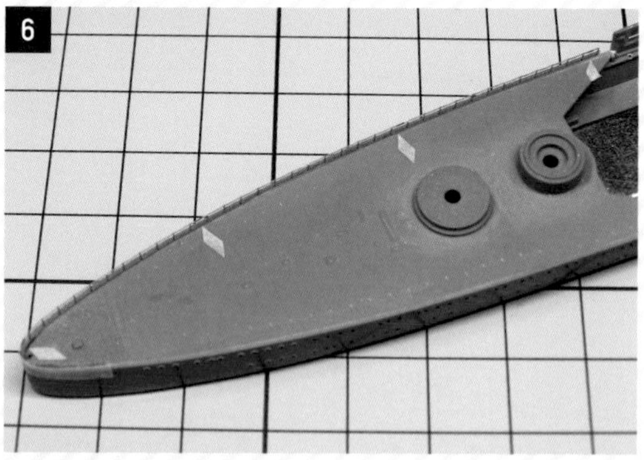

◀固定は4、5ヶ所あれば充分。数を増やして固定箇所の間隔が狭くなると取り付けが困難になる

◀印をつけた部分に0・2㎜ドリルで穴を開ける。深さは1㎜あるかないかぐらい。深くなるほどドリル刃折損のリスクが高くなる。フレアがある艦首は斜めに穴を開けるため、特に注意が必要

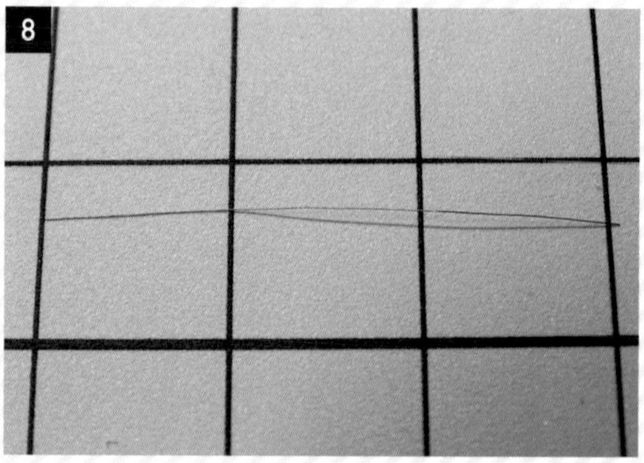

◀銅線の長さは、慣れれば2㎝もあれば充分だが、この例では3㎝を使用

◀薄い金属板（写真ではエッチングソーの刃のない部分を利用）の縁に銅線の真ん中付近を当ててU字に曲げておく。この作業は省くこともできるが。こうしておいたほうがスムーズにいくうえに仕上がりもよい

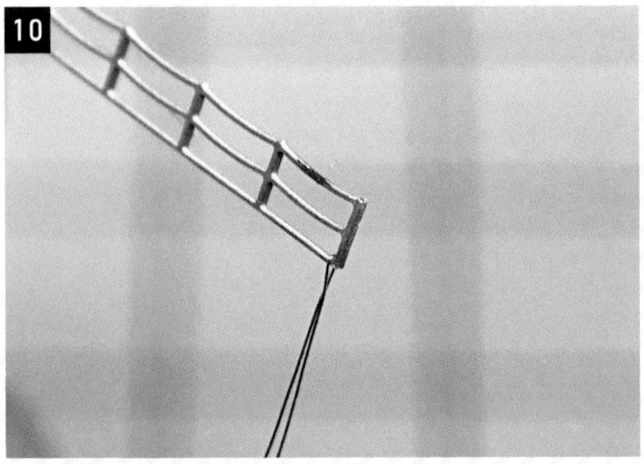

◀銅線をエッチング手摺りの一番下の部分に引っ掛け、支柱側に寄せる。支柱に寄せるのは、銅線をねじる時にエッチングを変形させないため

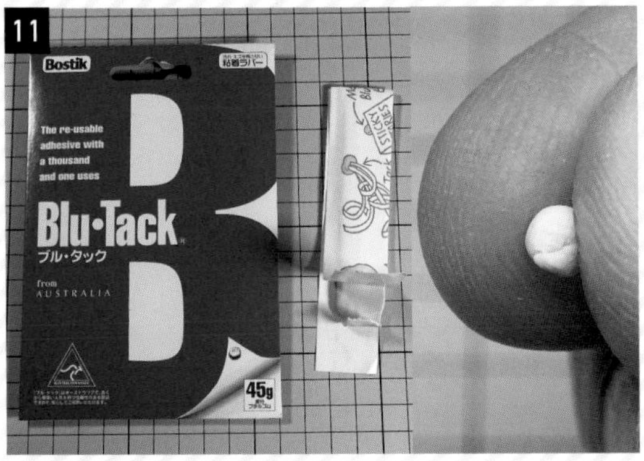

◀次に粘着ゴムの「ブルタック」を使用して、銅線をねじっていく。最近では100円ショップでも同種のものが売られているようだ。写真ぐらいの量をつまみ……

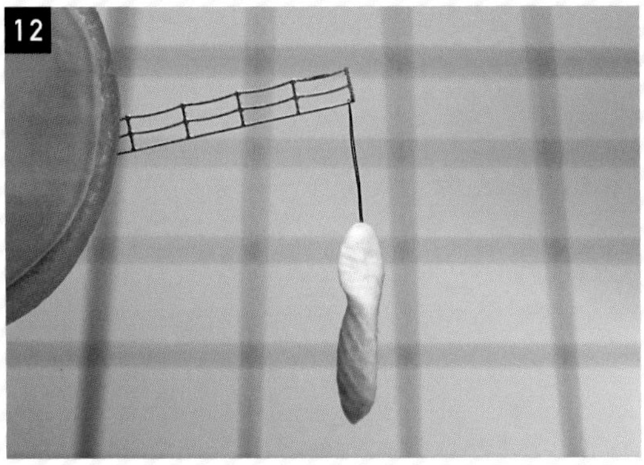

◀銅線の端に包み込むようにつける。写真では説明のために指を離しているが、実際に行う時は、銅線の端につけたら、そのままねじっていく

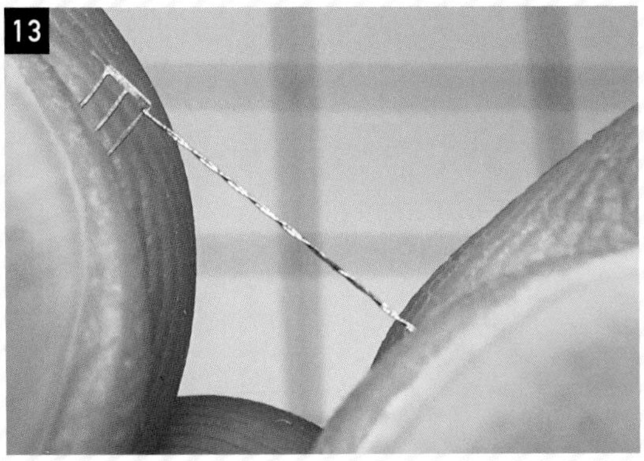

◀エッチングパーツを変形させないように軽く引きながら銅線をねじっていく

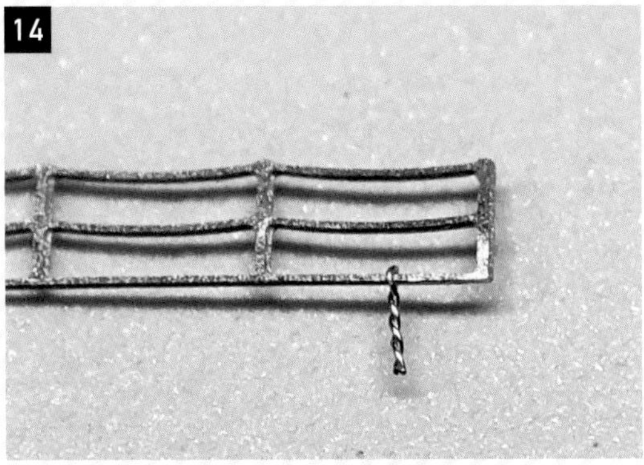

◀銅線を取り付けた状態。開けた穴の深さより短い長さにカット

◀あとは空けた穴に銅線を差し込んで固定するだけだが、ここが一番難しいところ。穴に銅線を差し込んだらMr.セメントSPなどの速乾タイプの流し込み接着剤で仮固定。全箇所を仮固定したら、流し込みタイプの瞬間接着剤で穴を開けた部分のみ固定する

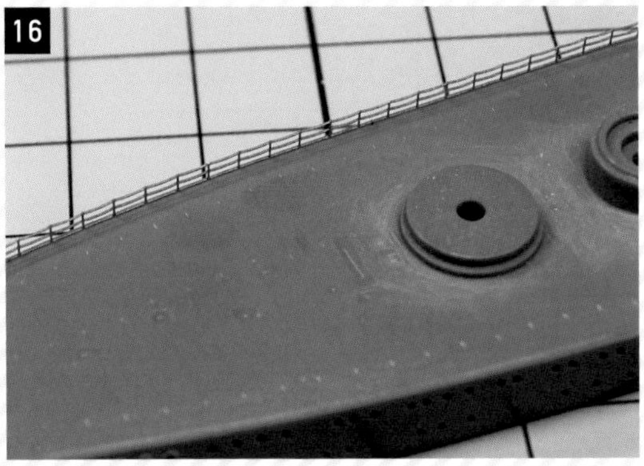

◀エッチング手摺りの取り付けが完了。波打つこともなければ、船体を持ち上げる時に指が触れてもそうそう外れることはない。ただ、正直なところ一定以上の手先の器用さが要求されるので上級者向けのテクニックではある

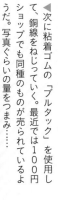

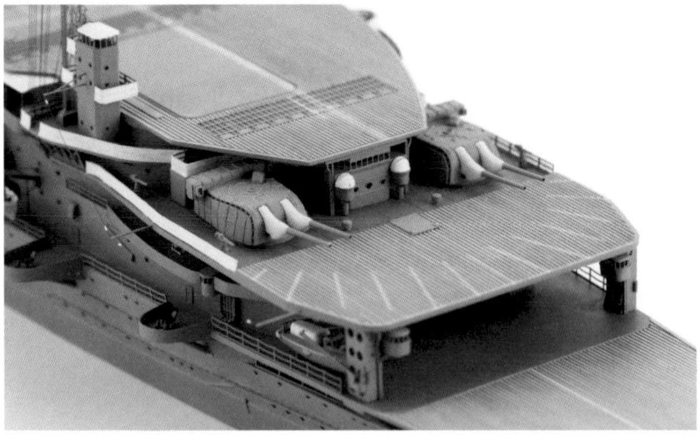

▲砲塔甲板の左右に配置された20cm連装砲塔と中央の羅針艦橋。発着甲板右舷に追加装備された航海艦橋では飛行機の発着指揮も行えるようになっていた

▲下段の発甲板格納庫扉の上部にあるカーテンの様なものはキットでは再現されていないので自作して取り付けてみた。製作方法は54ページを参照のこと

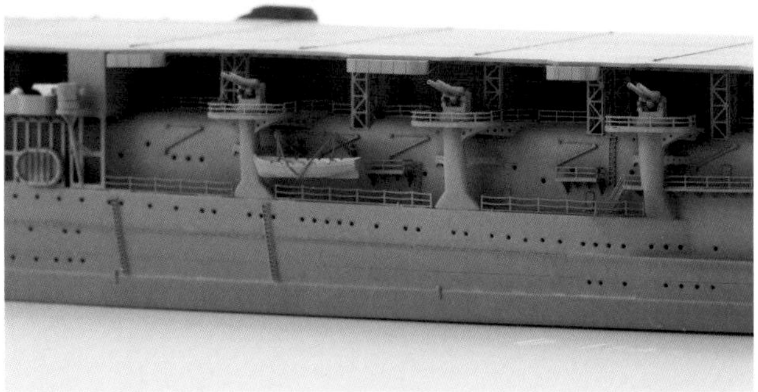

▲12cm連装高角砲が装備された左舷側周辺。飛行甲板を支えるトラス支柱はハセガワ純正のエッチングパーツとトムスモデルのエッチングパーツを併用した

▲右舷側後方の20cm砲郭部。トラス支柱と中間の補強線、飛行甲板側面から突き出した無線アンテナ柱と空中線などが精密に作り込まれていることがわかる

◀艦首を左舷側から見る。巡洋戦艦時の切り立った艦首形状は航空母艦化にあたって改造を受け、凌波性を重視した前方に鋭く突き出た形に変更されている

▶右舷の煙突。前方は120°屈曲させ下方へ排煙を導き、飛行甲板への影響を最小にしている。後方の上方を向いた煙突は発着艦時には使用されなかった

▲艦尾の複雑なトラス構造は全通甲板となった「赤城」にも引き継がれている。なお搭載機は60機だったが、定数を搭載したことほとんどなかったといわれている

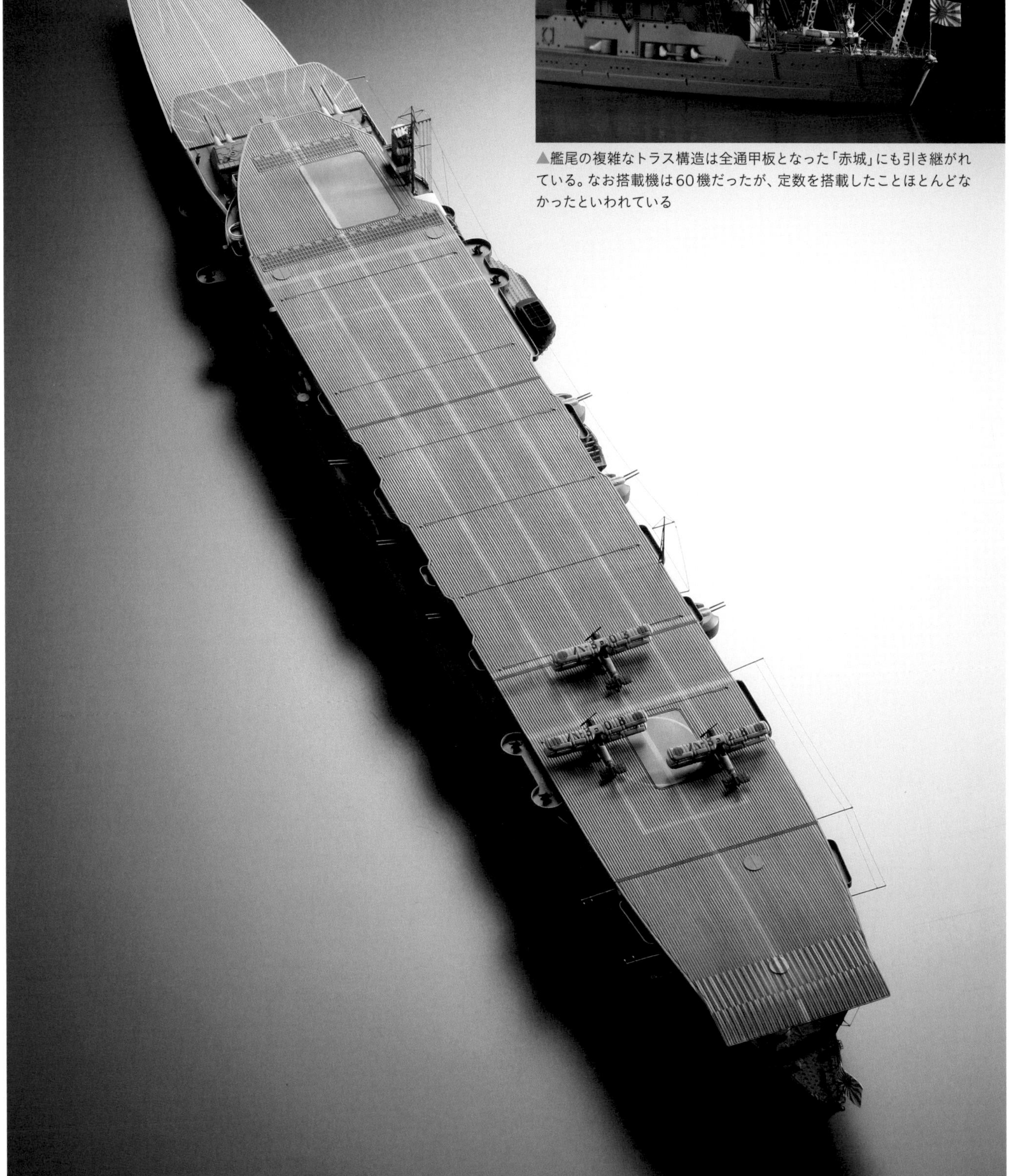

▲試行錯誤の連続だった三段甲板の「赤城」と「加賀」であったが、実用的な空母を完成させた関係者の努力は、その後の航空母艦デザインに存分に生かされている

［作品ギャラリー・その3］

大日本帝国海軍 航空母艦 蒼龍

IMPERIAL JAPANESE NAVY AIRCRAFT CARRIER SORYU

航空母艦「蒼龍」は、昭和9（1934）年の◯二計画で準同型艦「飛龍」とともに計画された。
大日本帝国海軍の空母では5隻目の空母で、
条約による排水量の制限から解放されたこともあり、全通式飛行甲板の右舷側に艦橋と
煙突を備えた実用的な中型空母として昭和12（1937）年12月29日に竣工した。
すぐに支那事変や仏印作戦に参加後、そのまま太平洋戦争に突入、
真珠湾攻撃やインド洋作戦では機動部隊の主力として無敵の活躍を見せた。しかし昭和17（1942）年6月5日、
ミッドウェー作戦で米空母機の爆撃を受けて大破、沈没しその最期を遂げた。

日本海軍航空母艦 蒼龍 昭和16年

IMPERIAL JAPANESE NAVY AIRCRAFT CARRIER SORYU 1941

【製品データ】
- ◆日本海軍航空母艦 蒼龍 昭和16年
- ◆発売元／フジミ模型
- ◆2800円＋税、発売中
- ◆1/700、約32.5cm
- ◆プラキット

◀搭載機は太平洋戦争初期の標準である零式艦上戦闘機、九九式艦上爆撃機、九七式艦上攻撃機の３種類。胴体には「蒼龍」搭載機を示す青い細帯が記入される

▼右舷側艦首から見る。全通式の飛行甲板と甲板上の艦橋構造物、下向きに屈曲した煙突など、日本型航空母艦の基本形態を確立、バランスの取れた美しい艦といえる

▲右側後方より見た艦橋。船体より艦載機に重点を置いたというが、手摺りやラッタル、マスト類からリギングなど細部は高い密度感で仕上げられている

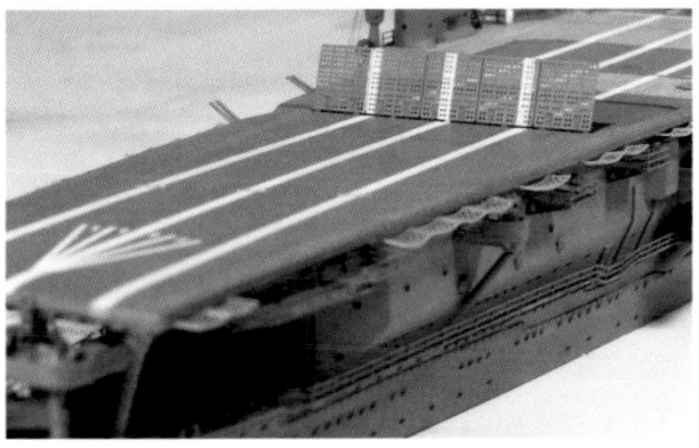

◀艦首方向から見た飛行甲板。前方の遮風柵は純正エッチングパーツを使用し立てた状態に。カタパルト装備予定位置の凸モールドは削り落とし塗装で表現

◀艦橋は純正エッチングパーツを使用した他、防空指揮所はブルワークを内側から削って薄く加工。双眼鏡はGenuine Modelのレジンパーツに置き換えた

◀飛行甲板中央部、右舷後方の12.7cm高角砲および25mm連装機銃は防煙シールド付き。機銃銃身はファインモールドのナノ・ドレッドから切り出したもの

◀艦尾。飛行甲板後端の着艦標識、支柱に取り付けられた舵柄信号標や艦尾信号灯、内火艇や救命浮標などがグレー単色の色彩とのよい対比になっている

作品について

2016年の作品です。尾翼周りのカラフルな塗装が特徴である江草少佐搭乗の九九艦爆を再現してみたいと思い製作しました。

キットはフジミ模型「日本海軍航空母艦 蒼龍 昭和16年」(品番特76)を使用しています。製作期間は3週間ほどと、それまでの作品に比べてかなり短い時間で完成させることができたことに少し驚いたのを覚えています。同社の「日本海軍航空母艦 飛龍」(品番特56)ではいろいろ盛り込もうとしすぎたためにパーツ数が多くなり、やや組み立てにくい印象がありましたが、後発キットとなる「蒼龍」では設計が改善され、非常に組み立てやすくなっており、そのおかげで製作時間を短縮できたのだと思います。個人的にはフジミ模型の空母キットの中で一番の名作ではないかと思っています。フジミ模型の空母キットを組んだことのない方にはまず「蒼龍」をお勧めしたいところです。

作品では艦載機に重点を置き、艦本体はそれほど手を加えていません。順番に説明していきますと、まず船体は舷窓を0.5mm径ドリルで彫り直し、庇は伸ばしランナーで作り直し。外鈑の表現は省略しています。なお舷外電路ですが、船体塗装後に取り付けていなかったことに気が付いたため、二度手間となってしまいました。これがなければもう少し短い時間で完成できたはずです。

続いて飛行甲板は、カタパルトの装備予定位置が凸モールドとなっていたので、削り落として塗装のみで表現。周囲の排水溝はプラ板で作成しています。雑誌作例では飛行甲板の装備品すべてをエッチングパーツに置き換えたことはありませんが、この作品では製作時間を極力抑えるため、専用木甲板シート付属のエッチングパーツをフル活用しました。木甲板部分の塗装はアイズプロジェクトの0.4mm幅マスキングテープで塗り分けています。

次に艦橋部分は、加工したのは防空指揮所のブルワークを内側から削って薄くしたくらいです。双眼鏡はGenuine Modelのレジンパーツ「日本海軍双眼望遠鏡セット」(品番GM7002)を使用しました。全体的にはプラ製アフターパーツを多用していますが、特徴的な部分を一つ上げると、防煙シールド付き連装機銃の銃身はファインモールドのナノ・ドレッドから切り出したものを使用しています。

艦載機はフジミ模型の艦載機セットを使用していますが、風防のフレームはハセガワのフィニッシュシートをマスキングとして使用し塗り分けました。脚はハセガワ「航空母艦 赤城 ディテールアップパーツセット」(品番30036)に含まれているエッチングを使用しています。

▶飛行甲板上からまさに発艦しようとする攻撃隊。艦載機はフジミ模型の艦載機セットを使用し、風防枠はハセガワのフィニッシュシートで塗り分けた

▼本キットは非常に組み立てやすく、フジミ模型の空母キットでも随一。初めての空母キットとしてもお薦めだ

◀前から4機目のダークグリーンの機体が江草少佐搭乗の九九艦爆。脚はハセガワ「航空母艦 赤城 ディテールアップパーツセット」のエッチングパーツを使用

◀重い魚雷や爆弾を搭載する九七艦攻は離陸に長い滑走距離が必要なため飛行甲板の後方に位置。上面にはグリーンとブラウンの細かい迷彩塗装を施している

▼搭載機は零戦3機、九九艦爆9機、九七艦攻4機。全16機をこのレベルに仕上げるのは相当の技術と忍耐が必要だ

[作品ギャラリー・その4]

大日本帝国海軍 航空母艦 飛龍

IMPERIAL JAPANESE NAVY AIRCRAFT CARRIER HIRYU

「蒼龍」とともに昭和9(1934)年の○二計画で建造が計画された航空母艦が
「飛龍」である。当初は同型艦であったが、
起工を1年延期し飛行甲板の拡張や艦橋の大型化などが行われ、昭和14(1939)年7月5日に竣工した。
艦橋を「赤城」と同じく左舷側としたのが最大の特徴だったが、
艦載機の着艦時に気流の乱れを生じ、その後の翔鶴型からは右舷配置に戻されている。
「飛龍」「蒼龍」と第2航空戦隊を形成し、太平洋戦争でも真珠湾攻撃、インド洋作戦に参加したが、
昭和17(1942)年6月5日のミッドウェー海戦では奮戦むなしく戦没した。

日本海軍航空母艦 飛龍

IMPERIAL JAPANESE NAVY AIRCRAFT CARRIER HIRYU

【製品データ】
◆日本海軍航空母艦 飛龍
◆発売元/フジミ模型
◆2800円+税、発売中
◆1/700、約32.5cm
◆プラキット

◀改装後の「赤城」と同様に飛行甲板の左舷中央部に配置された艦橋。この位置は飛行機の発進位置に近く、発着指揮に都合が良かったことがよくわかる

▼フジミ模型「飛龍」は全体的にはよいキットだが、すべて昇状態となっている飛行甲板の隠顕式探照灯を格納状態にするのはやや手間がかかる

▼細部にはファインモールドのナノ・ドレッドを多用しているが、防煙シールドのない12.7cm高角砲はヤマシタホビーのものを使用してみた

▲搭載機は「蒼龍」作例と同様にクリアー成型されたフジミ模型の艦載機セットを使用した。「飛龍」搭載機の場合、胴体の青帯は2本が記入されている

◀艦橋は防空指揮所のブルワークの高さが気になったため、羅針艦橋から上の部分をプラ材でスクラッチし、細部パーツをナノ・ドレッドに置き換えた

◀基本的なディテールアップは純正エッチングパーツを使用して行っている。艦橋後方のマストや各部のリギング用ヤードには真鍮線も併用している

作品について

2016年から2017年の初めにかけて製作した作品です。艦船模型を始めて間もないころに、アオシマ文化教材社の「飛龍」を作ろうとしたことがありますが、技術が未熟なために途中で思い通りにいかずに断念したということがありました。これはそのリベンジも含めて完成させてみたいと思って作った作品です。

基本的には「蒼龍」と変わらず、あまり手を加えずに純正エッチングパーツとプラ製アフターパーツを使って仕上げるというコンセプトで作りました。ただ「蒼龍」と違うのは、こちらではGSIクレオス「Mr.ハルモールド チゼル」(品番GT92)で船体に外鈑表現を施しています。この作品はMr.ハルモールド チゼルを初めて使った作品で、このツールの実験的な意味もありました。

Mr.ハルモールド チゼルは船体に水平のモールドをケガくことができるツールです。刃先の厚みは0.2mm厚ほどあり、そのまま使用すると1/700スケールとしてはかなりくどい表現になってしまいます。そこで作品では刃先を研いでシャープに加工してから使用しました。縦方向の外鈑の継ぎ目は伸ばしランナーで表現しています。

キットの飛行甲板パーツは隠顕式探照灯がすべて「昇」状態がデフォルトとなっています。これを「降」状態とするため探照灯のフタのモールドをすべて削り落とし、エッチングパーツに置き換えました。この修正は木甲板のスジ彫りを彫り直す必要があるため結構手間がかかります。全体的にはよいキットなので、これさえなければ……と感じました。

艦橋パーツは、「蒼龍」と違って防空指揮所のブルワークが低いのが気になったので、羅針艦橋から上部分をプラ材でスクラッチ。「蒼龍」同様にプラ製アフターパーツを多用していますが、一つ違うのは高角砲(防煙シールド無し)。「蒼龍」ではナノ・ドレッドですが、「飛龍」ではヤマシタホビーのパーツを使用しました。艦載機についてはパーツもディテールアップ方法も「蒼龍」と変わりません。

▲凌波性向上のため「蒼龍」に比べて甲板が１段高くなった艦首。飛行甲板の遮風柵は「蒼龍」作例と同様にエッチングパーツを使って立てた状態とした

▲基本的な製作方針は「蒼龍」作例と同様。ただし船体にはGSIクレオス「Mr.ハルモールド チゼル」と伸ばしランナーを使い外鈑表現を施した

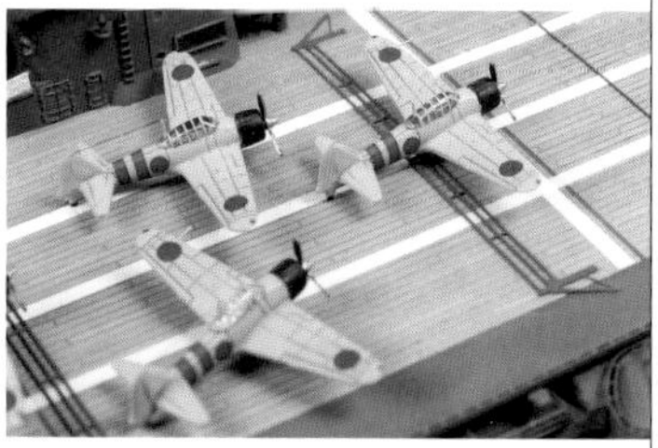

▲零式艦上戦闘機二一型は３機を搭載

▲九九艦爆。マーキングはデカール使用

▲九七艦攻。窓枠はマスキングで塗装

◀攻撃隊16機が勢揃いした飛行甲板は壮観。戦艦や巡洋艦などに比べて目立つ構造物がない空母モデルの場合、搭載機の仕上げがキモとなる

［作品ギャラリー・その5］

大日本帝国海軍 駆逐艦 狭霧

IMPERIAL JAPANESE NAVY DESTROYER SAGIRI

ワシントン海軍軍縮条約の制限下にあった昭和3（1928）年から昭和8（1933）年の間に24隻を建造、
驚異的な高性能で世界を驚かせた吹雪型“特型駆逐艦”。
その16隻目にあたる「狭霧」は、昭和2年度計画で建造、
主砲や艦橋が改良された「II型」として昭和6（1931）年1月31日に竣工した。
太平洋戦争では南方進攻作戦で船団護衛に従事するが、開戦からわずか17日後の昭和16（1941）年12月24日、
ボルネオのクチン沖で対潜警戒中、オランダ潜水艦「K-16」の雷撃を受けて戦没、
特型駆逐艦では「東雲」に続く戦没艦となった。

◀特型駆逐艦中期建造艦のII型、通称「霧」シリーズより「狭霧」を製作。ヤマシタホビー「天霧」のキットをベースに各部に手を加えて細部の特徴を再現

特型駆逐艦II型 天霧

IMPERIAL JAPANESE NAVY DESTROYER SAGIRI

【製品データ】
◆日本海軍航空母艦 蒼龍
昭和16年
◆発売元／ヤマシタホビー
◆1500円＋税、発売中
◆1/700、約16.9cm
◆プラキット

◀作品の設定は昭和16（1941）年10月下旬に豊後水道にて訓練中の状態。開戦に備えて舷側には舷外電路を装着しているが、艦名はまだ記入されたまま

▶エッチングパーツは扱いやすいテトラモデルワークスの製品を使用。初めてエッチングパーツを使った作品を作る場合にも最適な組み合わせといえる

作品について

2018年の作品です。特型駆逐艦は艦ごとに異なっている部分が多くあり、ファンにとっては作り分けてコレクションする楽しみが味わえる人気の艦種です。キットはヤマシタホビー「特型駆逐艦II型 天霧」（品番NV5）を使用。昭和16年10月下旬に豊後水道にて訓練を行っている姿を捉えた写真を参考に製作しました。

基本はキット＋テトラモデルワークスのエッチングパーツ「日・駆逐艦 天霧 1943用（YH社用）」（品番SE70024）で作成。「狭霧」の特徴を再現するためにところどころプラ材や真鍮線を使用しています。すべてを覚えているわけではありませんが、記憶に残っている限り手を加えた個所について説明したいと思います。

通称「霧」シリーズと呼ばれる「朝霧」、「夕霧」、「天霧」、「狭霧」の4隻の特徴の一つとして、羅針艦橋前面に平坦部があり角張っている点が挙げられます。キットではその特徴的な形状が再現されているのですが、性能改善工事後にはない制風板（遮風装置）の張り出しがあるので削り落とします。艦橋トップにある測距儀はキットでは2m測距儀になっていますが、この時期ではさらに大型の3m測距儀に換装されているので、プラ材で作成しています。なお作品では意識して製作しませんでした

▼特型駆逐艦の船首楼や舷側はフレアーと呼ばれる独特の凹みを持っているが、ヤマシタホビーのキットではそれらの特徴を見事に再現している

▲「霧」シリーズでは羅針艦橋前面に平坦部があり角張っているが、制風板(遮風装置)の張り出しは性能改善工事後にはないので削り落としておくこと

◀前方の1番煙突と後方の2番煙突は共通パーツだが、2番煙突にはキセル型給気筒を低く、左舷側の魚雷格納筐前方に給気筒を追加などの修正を施した

が、測距儀の大型化に伴って測距儀が旋回できるように前檣の傾斜角を変更しているそうなので、キットパーツより後方に傾斜させてマストを作成すると、よりこの時期の雰囲気が出ると思います。

煙突は、キットでは1番、2番煙突とも同じパーツを使用するようになっています。パーツには汽笛のモールドが施されているのですが、後方の煙突にはないので削り落とします。2番煙突後方にあるキセル型給気筒の高さは椀型給気口の上面より低いので短く加工。また2番煙突左舷側にある魚雷格納筐前方にもキセル型給気筒が見られるので、プラ棒で自作しました。

キットでは方位アンテナと測定室が再現されていますが、「狭霧」には見られないので探照灯の台座部分を加工しています。なお「狭霧」の探照灯台座部分を近くから撮影した写真はありませんが、同じく性能改善工事後に方位アンテナが装備されなかった「朧」の鮮明な写真が残されているので、そちらの画像を参考に作成しました。

最後に、ヤマシタホビーの特型駆逐艦キットは組み立てやすく、使用したテトラモデルワークスのエッチングパーツも扱いやすいので、エッチングパーツを使った作品を初めて作る方には最適な組み合わせだと思います。

◀前マストはエッチングパーツと真鍮線でディテールアップ。作例では省略したが、測距儀の大型化による傾斜も再現すると、この時期の雰囲気が出せる

◀キットでは第2煙突後方に方位アンテナと測定室が再現されているが、「狭霧」には見られないので「朧」の実艦写真を参考に探照灯の台座部分を加工

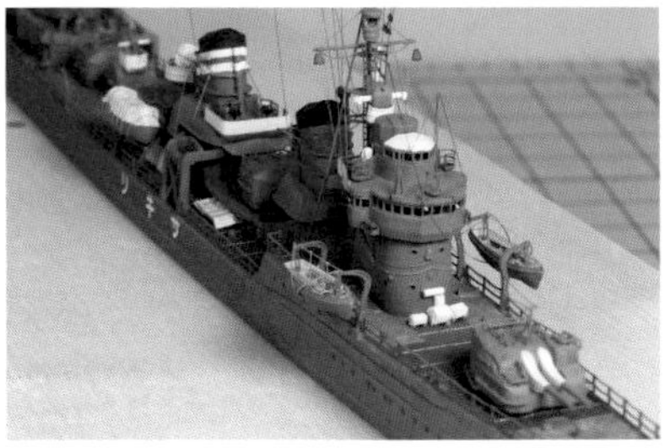

◀特型駆逐艦II型は計10隻存在するが、同型艦の中でも艦橋構造など細部が異なっているので、作り分けてコレクションする小型艦ならではの楽しみがある

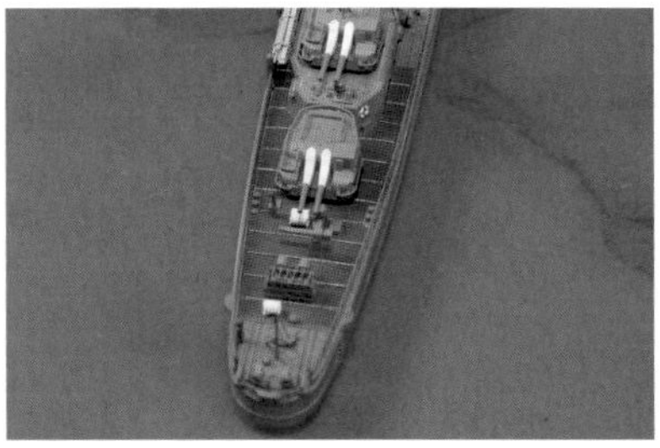

◀主砲は12.7cm連装砲塔を艦首側に1基、艦尾側に背負い式に2基を搭載。ディテールアップとして魚雷のスキッドビームの上に固定された木材類に注目

▼艦橋トップにある測距儀は2m測距儀のパーツを取り付ける指示だが、この時期には大型の3m測距儀に換装されているので、プラ材で自作し置き換えている

▲アンテナ線や煙突補強用のリギング、ロープで固定したキャンバスカバーを被せた探照灯や艦載艇など、実艦に近づける細部への配慮と工作は完璧に近い

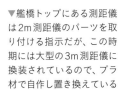

［作品ギャラリー・その6］

大日本帝国海軍 戦艦 紀伊

IMPERIAL JAPANESE NAVY BATTLESHIP KII

昭和14（1939）年、第二次大戦勃発とそれにともなうアメリカ海軍の建艦計画に対抗するため、
日本海軍は昭和17年度開始予定の「〇五計画」および「〇六計画」を策定した。
これらの計画で戦艦7隻の建造を予定、最初の3隻は大和型だったが、
その内の1隻ないし2隻は、大和型を上回る51cm砲6門に換装した「超大和型」となる計画だった。
残りの4隻はさらに大型の51cm砲8門搭載の10万トン級戦艦だったが、
昭和17（1942）年6月のミッドウェー海戦の敗北により空母優先の計画に改訂されたため、
いずれも建造されることはなかった。

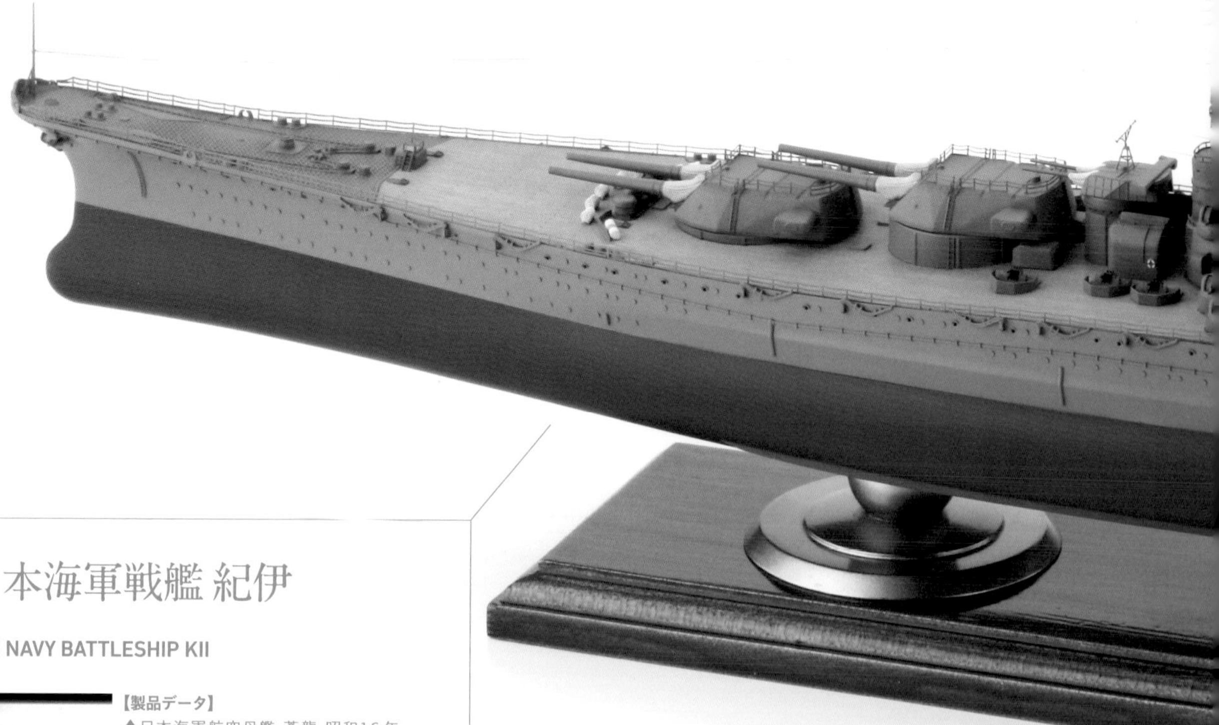

艦NEXT 日本海軍戦艦 紀伊

IMPERIAL JAPANESE NAVY BATTLESHIP KII

【製品データ】
- ◆日本海軍航空母艦 蒼龍 昭和16年
- ◆発売元／フジミ模型
- ◆3800円＋税、発売中
- ◆1/700、約37.6cm
- ◆プラキット

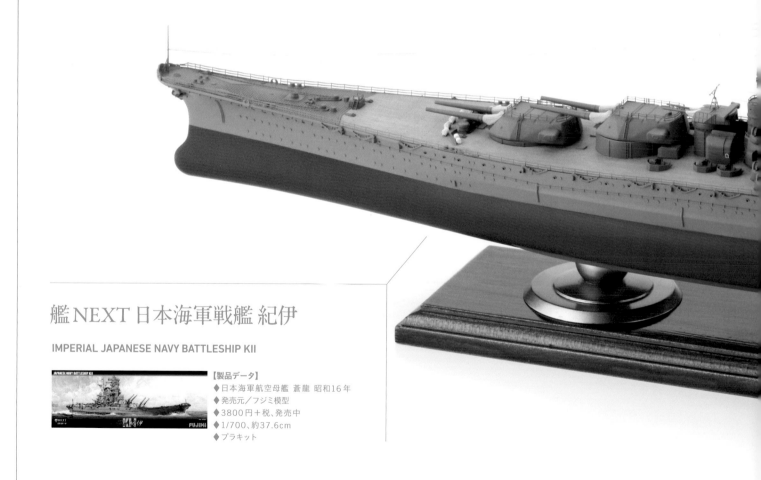

▲計画では主砲を51cm連装砲3基、高角砲を65口径10cm連装砲に変更した以外は大和型に準拠。同様にキットでも砲塔と高角砲を新規追加したものとなる

▲実際に計画されていたとはいえ、51cm砲を搭載した超大和型戦艦はほぼ架空の存在ながら、フジミ模型では大和型をベースに艦NEXTシリーズでリリース

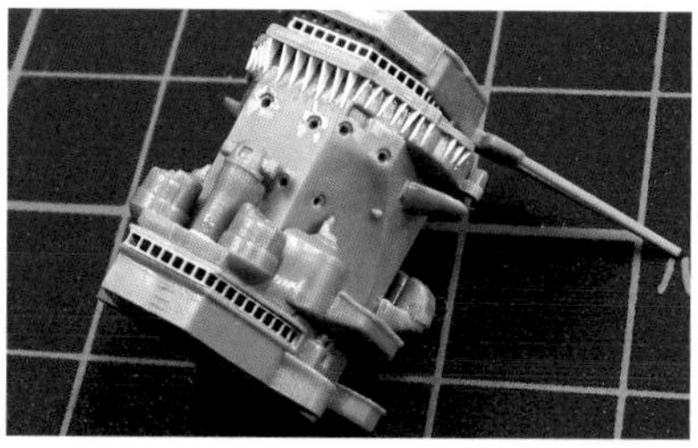

◀艦橋のディテールアップ。遮風装置の下に並ぶ三角プレートをプラ板で作成。第2艦橋は窓部分を切除しエッチングを取り付けた

◀防空指揮所パーツの前方にある遮風装置の上面は、モールドをスジボリ堂のタガネで彫り込んで深く加工した

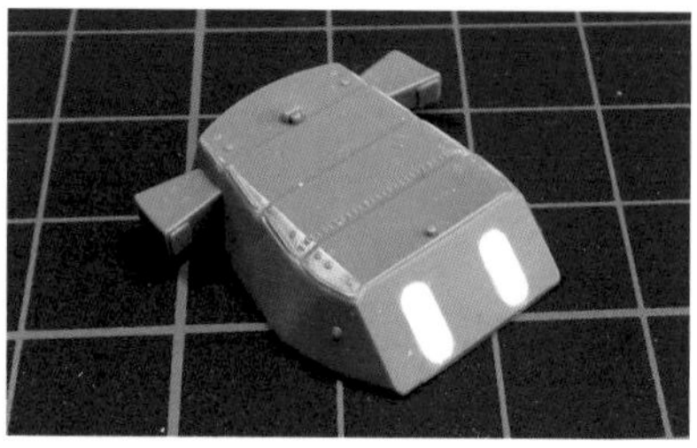

◀主砲砲塔は砲身が可動式だが、スケール的ではない。砲身を他のパーツに置き換えるために、プラ板で取り付け穴を閉塞した

◀砲身はタミヤの2mm径プラ棒から削り出し。塗装で段差を付け、細切りしたハセガワのフィニッシュシートで凸モールドを付け加えた

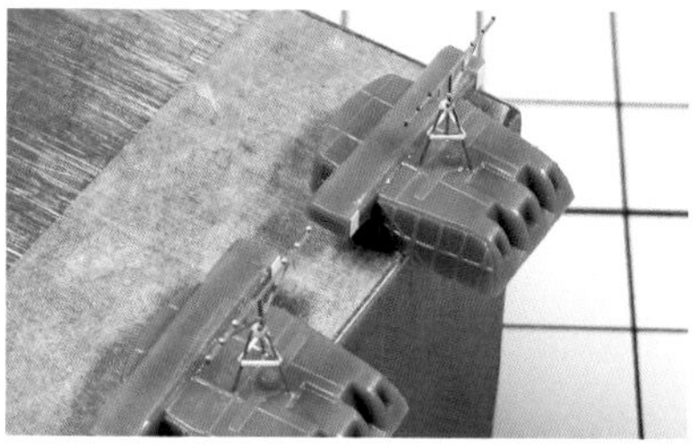

◀副砲はヤマシタホビーの20cm連装砲塔に交換。艦尾側の砲塔は上部構造物に干渉しないよう測距儀の位置を前方にずらしている

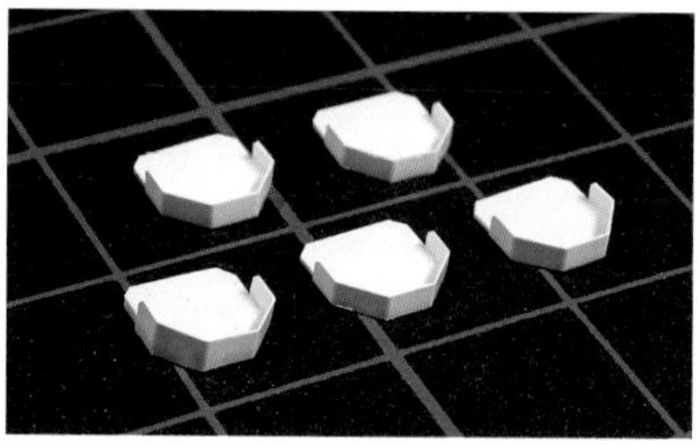

◀甲板上の増設機銃はキット通りに取り付けるが、台座はプラ板から自作。ブルワーク形状をオリジナルなものに変更した

キットについて

艦NEXTシリーズ「戦艦 大和」のバリエーションで、計画のみに終わった第798号艦（キットでは「紀伊」と命名）を再現しています。主砲の51cm連装砲3基、65口径10cm連装高角砲のみが新規パーツですが、最終的なシルエットがどのようになるかは明確になっておらず、キットの内容は妥当なものです。今回はテトラモデルワークス「日・戦艦 大和 NEXT.01用エッチングパーツ」（品番SE70006）およびインフィニモデル「日・戦艦大和・武蔵・紀伊用（F社NEXT用）真ちゅうマストセット」（品番IMS7011）を使用。またファインモールドのナノ・ドレッドなど他社製のプラ製アフターパーツも併用しています。

製作

キットはスナップフィットですが、ダボ穴へのはめ込みがきつめです。今回は組み込んだエッチングパーツの破損を避けるため、あらかじめすべてのダボ穴と主砲・副砲の取り付け穴を広げておくことをお薦めします。また通常のプラキットよりも厚みを持たせて強度を上げているので、艦首の波除けや機銃座のブルワークをプラ板に置き換えて薄く仕上げました。

船体はほぼモールドのまま。エッチングに置き換えるボートダビットなどのモールドの削除と、艦首のムアリングパイプとアンカーのベルマウスをプラ棒で作り直したぐらいです。今回最も手間がかかったのは波除けブルワーク部分で、波除けパーツと前後の甲板パーツを完全に接着してから波除けのモールドを削除し隙間を埋め、紙ヤスリで平らに均したあと、甲板のモールドを彫り直します。取り付け穴の修正の手間を考えて、甲板上の増設機銃を取り付けていますが、ブルワーク形状はあえて「大和」と異なるオリジナルなものに変更しました。

主砲塔は砲身取り付け用の穴をプラ板で閉塞、タミヤの2mm径プラ棒を削って自作した砲身を取り付けて固定式に変更。防水キャンバス部分はピットロードの戦艦「大和」の余剰パーツから切り出したものです。副砲は連装の主砲塔とバランスを取って、ヤマシタホビーのパーツを使って20cm連装砲塔に交換。測距儀は一番大きいものを使用しましたが、艦尾側は艦橋構造物と干渉するため、改造して測距儀の位置をずらしています。長砲身の高角砲はウェーブの真鍮パイプで自作。機銃はすべてファインモールドのナノ・ドレッドに置き換えています。「大和」との差異を出すため、艦橋の機銃はすべて爆風シールド付きに変更しました。

▲作例はほぼキットの仕様に沿って製作しているが、連装となった主砲とのバランスを取るため、副砲砲塔も15.5cm三連装から20cm連装に置き換えてみた

マストは前述のインフィニティモデルのセットを使用しましたが、ハッキリ言って上級者向けのパーツです。接着には硬化時間に余裕のあるエポキシ系を使用し、充分に時間をかけて組み立てています。

テトラモデルワークスのエッチングパーツは非常に良質ですが、甲板上のハッチやリールなどは追加で「日・戦艦 大和 NEXT.01用 木製甲板 エッチングパーツ付」(品番SA70006)を購入する必要があります。

最後に

架空艦を製作するのは「紀伊」が初めてで、「もし実在していたならばこんな感じであっただろう」という説得力を持たせることを目指して製作しました。しかし作り終えてみて、「架空艦らしい違和感がない」、「なんだかすごく普通」と思いました。ほとんどの部分が戦艦「大和」と同一なので当然といえば当然なのですが、塗装などはもう少しアレンジしてもよかったかなと思っています。けっきょく実在しなかった艦なわけですから、好きなように気の向くままに作ってかまわないと思います。

使用アイテム

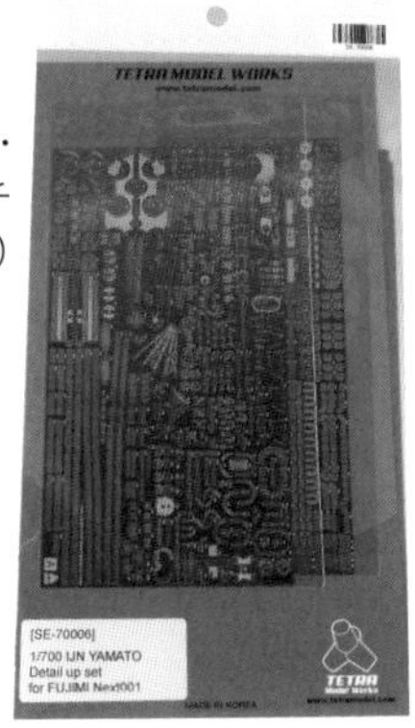

▶テトラモデルワークス「日・戦艦 大和 NEXT.01用エッチングパーツ」(品番SE70006)

◀ヤマシタホビー「日本海軍 8インチE型砲塔セット」(品番020019)

▶インフィニモデル「日・戦艦大和・武蔵・紀伊用(F社NEXT用)真ちゅうマストセット」(品番IMS7011)

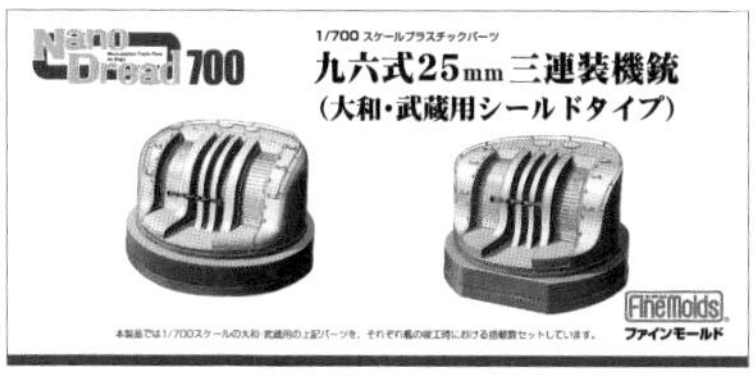

◀ファインモールド「九六式25mm三連装機銃(大和・武蔵用シールドタイプ)」(品番WA3)

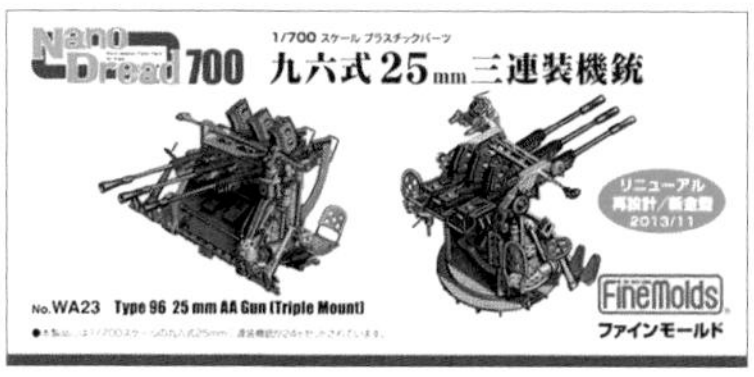

◀ファインモールド「九六式25mm三連装機銃」(品番WA23)

◀ファインモールド「大和・武蔵用探照灯セット」(品番WA4)

▲キットはフルハル／ウォーターライン選択式。舷側のモールドはキットのままだが、ムアリングパイプとアンカーのベルマウスなどはプラ材で作り直した

▼艦尾の飛行機作業甲板はキットのまま。甲板上の増設機銃のブルワーク形状は、あえて「大和」と異なる完全オリジナル形状とした

▲史実では、超大和型の第797号艦には「紀伊」と正式に命名されていない。あくまでも八八艦隊の未成戦艦の艦名を引き継いだら……という想像上の艦名

▲マストはインフィニモデルの金属製マストセットに交換。上級者向けパーツのため、練消しゴムを使った仮組みとエポキシ系接着剤で時間をかけて工作

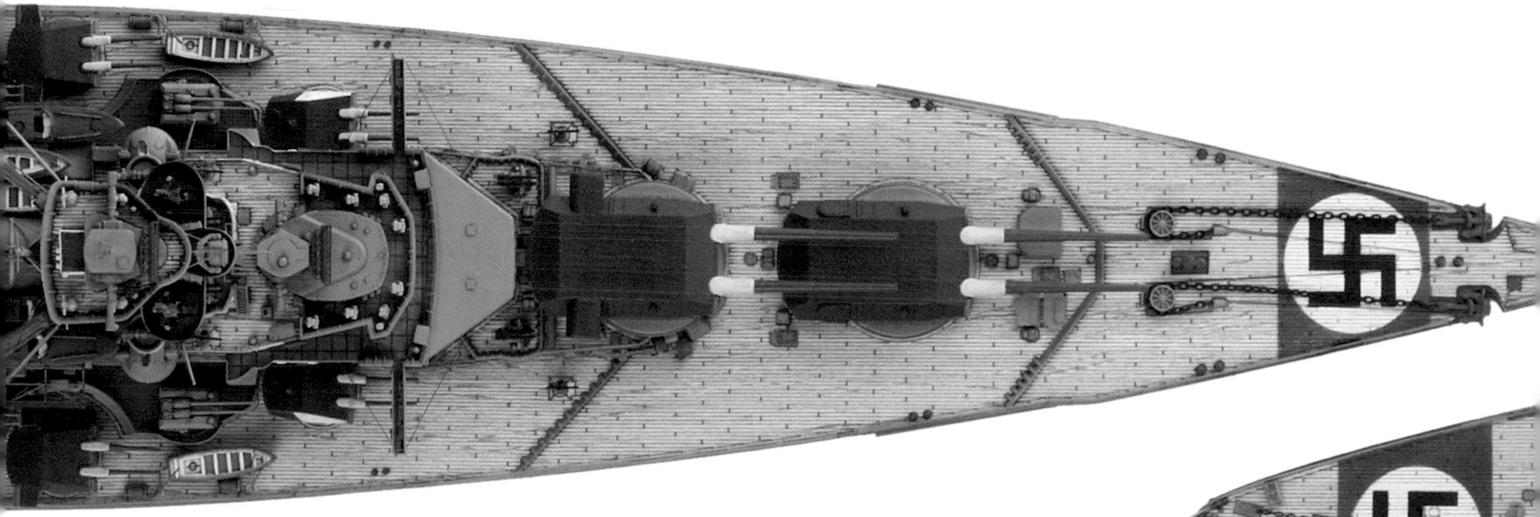

KRIEGSMARINE SCHLACHTSCHIFF BISMARCK

Unternehmen Rheinübung, May 1941

ブラック＆ホワイトのストライプを巻いた最強戦艦の出撃

ドイツ海軍 戦艦 ビスマルク

ライン演習作戦、1941年5月

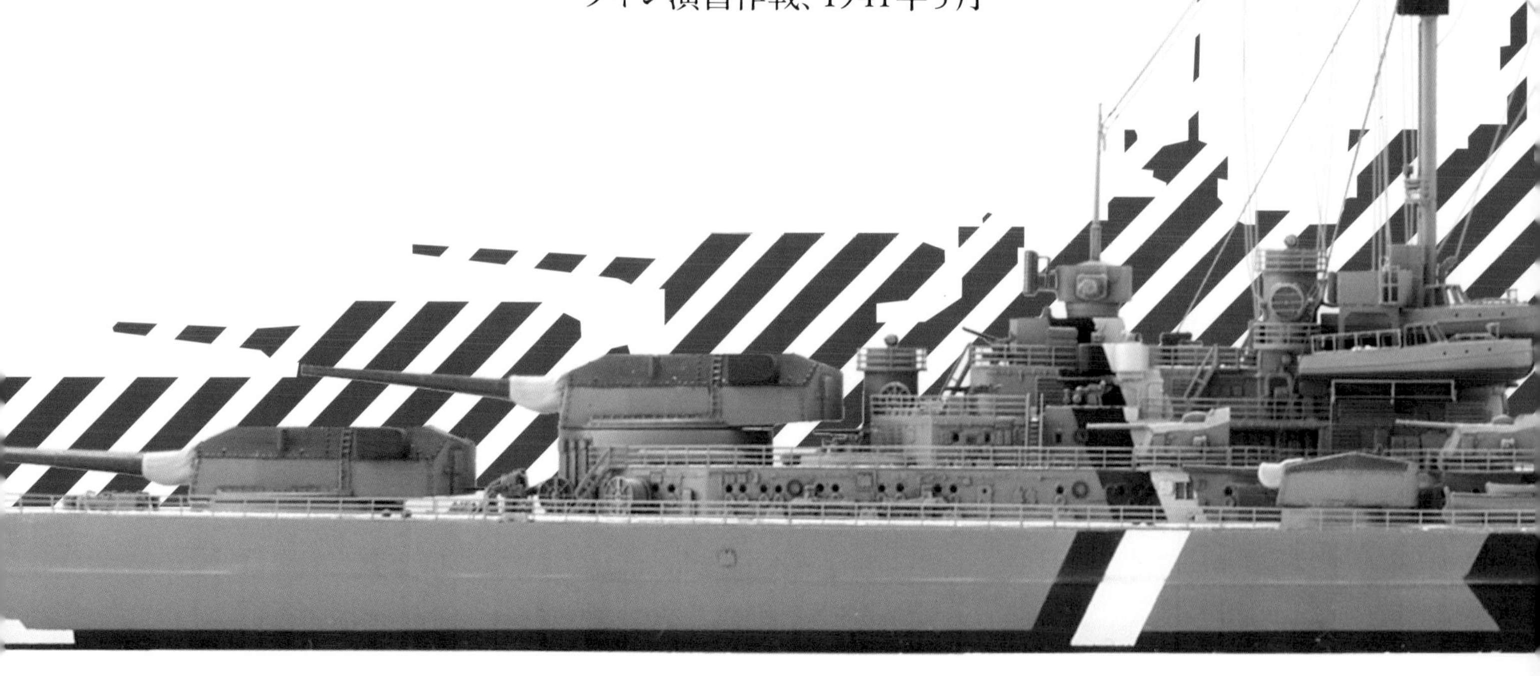

「ビスマルク」は同型艦「ティルピッツ」とともに、第二次大戦に登場したドイツ海軍戦艦群はもちろんのこと、列強海軍の戦艦の中でも人気の高い艦である。生涯はわずか9ヵ月に過ぎないが、美しく均整のとれたフォルム、複雑かつカラフルな迷彩塗装、劇的な最期を遂げた艦歴など、その魅力は尽きない。2010年、長く不在だった1/700スケールでの決定版キットがフライホークから登場し、世界中の艦船モデラーから歓迎を受けた。エッチングパーツや金属砲身など、同時発売の純正ディテールパーツも併用、最強戦艦の究極像を作り上げる。

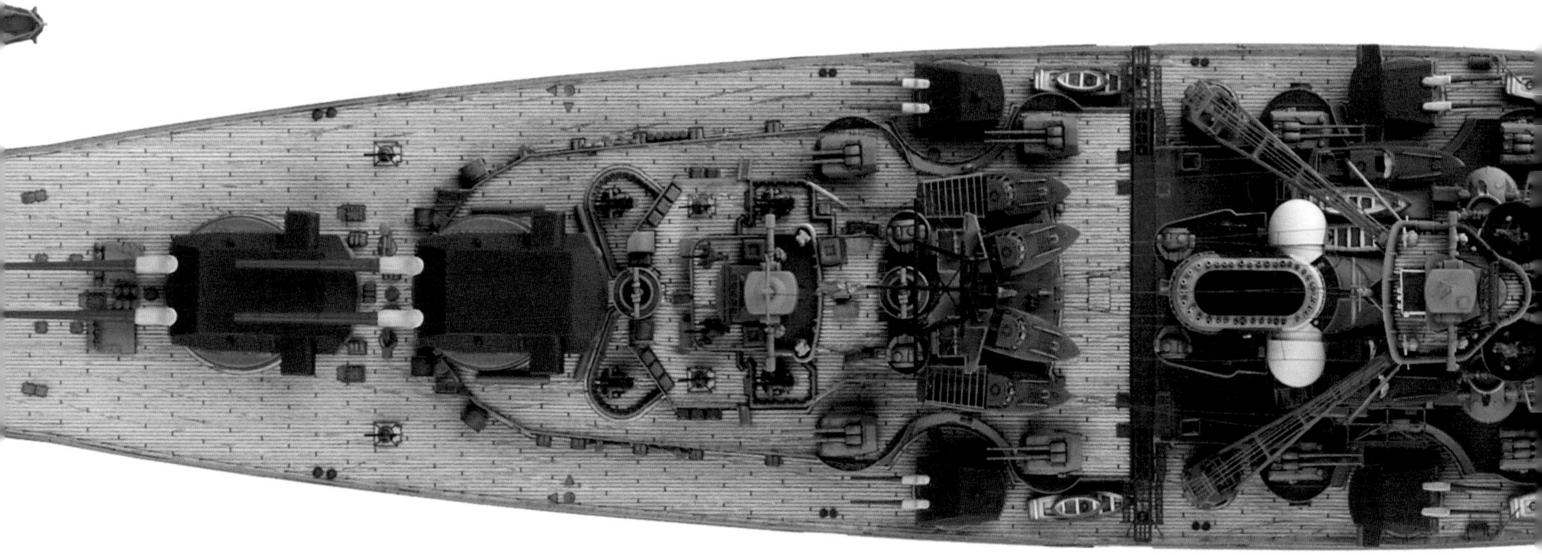

ドイツ海軍 戦艦 ビスマルク

実艦解説

KRIEGSMARINE SCHLACHTSCHIFF BISMARCK REAL HISTORY

文／竹内規矩夫
写真／US Navy

▲1941年5月19日、大西洋での通商破壊戦「ライン演習作戦」のためノルウェーに向かう途上の「ビスマルク」。主砲塔上面は暗い色に見える。僚艦の重巡「プリンツ・オイゲン」からの撮影

世界最強戦艦の真実

第二次大戦にドイツ海軍が満を持して投入した戦艦「ビスマルク」は、1940年8月24日の竣工からわずか9カ月後、1941年5月27日にイギリス艦隊によって沈められた。このため現在では、姉妹艦「ティルピッツ」とともに当時世界最大・最強の戦艦であったにもかかわらず、ポテンシャルは低く見積もられがちである。しかしデンマーク海峡海戦では巡洋戦艦「フッド」を一撃で轟沈、戦艦「キング・ジョージ五世」、「ロドネイ」による連打を浴びても沈まなかったというまぎれもない事実により、現在も最強戦艦の名を欲しいままにしている。

「ビスマルク」の建造

「ビスマルク」は、第一次大戦でほぼ壊滅したドイツ海軍の再起のために計画された戦艦で、1936年7月1日、本格的な大型主力艦「F号戦艦」としてハンブルクのブロム＆フォス造船所で起工された。38cm砲8門（連装砲塔4基）および15cm砲12門（連装砲塔6基）、舷側装甲厚300mm、最大速力28ノットが要求された結果、計画排水量約45,000t、全長250.5m、全幅36.0mの巨艦となった。

主砲の38cm砲はイギリス海軍のネルソン級戦艦の40cm（16インチ）砲には及ばないものの、クイーン・エリザベス級戦艦や「フッド」など多くの艦が搭載する38cm（15インチ）砲よりも長砲身で威力が高かった。防御面では北海や北大西洋など見通しの悪い霧の多い海域で行動することを考慮し、10,000〜15,000mの比較的近距離での砲撃戦に備えていた。

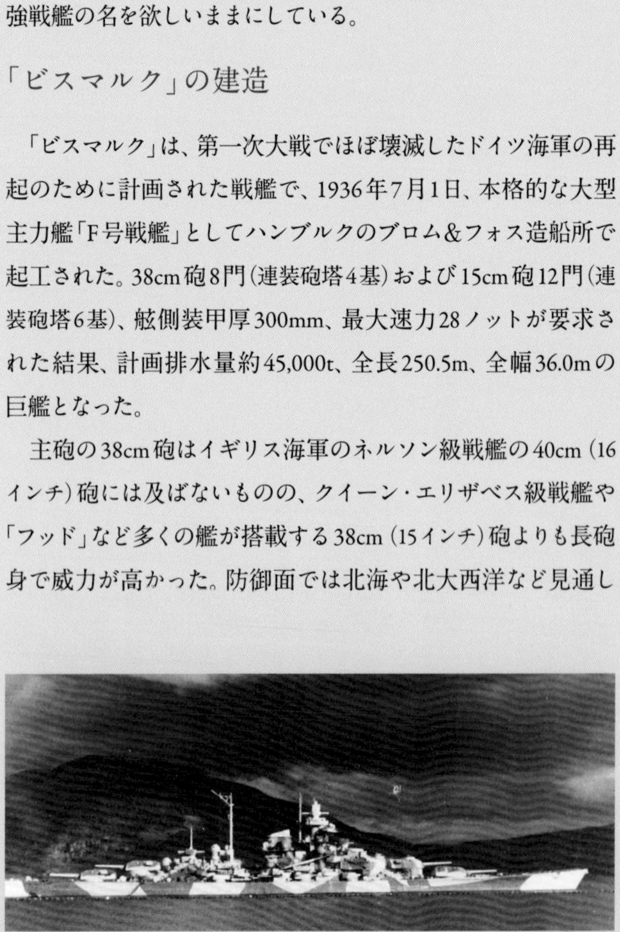

▲1943年、ノルウェー沿岸を航行するドイツ戦艦「ティルピッツ」。「ビスマルク」級2番艦として竣工したがすでに活躍の場はなく、フィヨルドでの碇泊を余儀なくされた

1939年2月14日に進水、艤装中に艦首を「アトランティック・バウ」と呼ばれる凌波性がよい鋭い形状に改修し、第二次大戦勃発後の1940年8月24日に就役。戦闘訓練のかたわら12月5日に行われた速力試験では、このクラスの戦艦としては驚異的な最高速力30.1ノットを記録し、関係者を喜ばせている。

デンマーク海峡海戦

1941年1月24日、最終工事が完了し、名実ともに戦力化された「ビスマルク」は、バルト海で戦闘訓練を行いつつ、出撃の時を待った。

5月18日、リュッチェンス提督の艦隊指揮のもと、「ビスマルク」および重巡「プリンツ・オイゲン」は通商破壊作戦「ライン演習」に出撃した。しかし20日、デンマークとスウェーデンの間のストレ海峡通過後にスウェーデン艦艇により早くも発見、さらに21日にはイギリス空軍のスピットファイア偵察機により捕捉され、作戦の遂行には困難が予想された。

果たして23日夜、速力28ノットで北海からデンマーク海峡に向かおうとする矢先、イギリス重巡「サフォーク」および「ノーフォーク」の追跡が始まった。翌24日早朝、さらに巡洋戦艦「フッド」、戦艦「プリンス・オブ・ウェールズ」が到着。両軍の艦

隊は互いに接近しつつ、午前5時52分、イギリス側からの発砲でデンマーク海峡海戦の火ぶたが切って落とされた。

イギリス艦隊は「フッド」が先行する「プリンツ・オイゲン」を「ビスマルク」と誤認したため砲撃が分散したが、ドイツ艦隊は最初から「フッド」に砲火を集中させた。6時1分、「ビスマルク」が5回目の斉射を行うと、水柱の中で「フッド」は大爆発を起こし、わずか3分間で海中に没した。生存者はわずか3名のみだった。「プリンス・オブ・ウェールズ」は反撃しつつドイツ艦隊から距離を取り、6時9分に戦闘は終わったが、イギリス艦隊は引き続き追跡を継続した。

この海戦で「ビスマルク」は「プリンス・オブ・ウェールズ」から3発の命中弾を受け、艦首への浸水にり最大速力は28ノットに低下。また燃料漏れが発生し、「ビスマルク」は「プリンツ・オイゲン」と別れてフランスのサン・ナゼールへ帰投することとなった。しかし通報を受けて急行した空母「ヴィクトリアス」のソー

▲デンマーク海峡海戦後の「ビスマルク」。「フッド」および「プリンス・オブ・ウェールズ」の砲撃による被害で艦首がわずかに沈下している。この時点では主砲塔上面は明るい色に見える

ドフィッシュ雷撃機の夜間攻撃で「ビスマルク」右舷中央部に魚雷1発が命中。速力はさらに20ノットに低下してしまった。

翌25日未明には、「ビスマルク」は巧みな行動によりイギリス艦隊の追尾からいったんは逃れることができたが、ドイツ海軍司令部との通信が傍受され26日午前中には再びイギリスの偵察機が捕捉。20時55分、空母「アークロイヤル」のソードフィッシュ雷撃機の攻撃で2または3発の魚雷が命中。その内の1発が舵を破壊し操舵が不能となり、最終的にこれが「ビスマルク」

▲1941年5月24日、デンマーク海峡海戦においてイギリス戦艦「プリンス・オブ・ウェールズ」に向け主砲を発射する「ビスマルク」。

の命運を決定することとなった。

「ビスマルク」の最期

5月27日朝、イギリス本国艦隊の戦艦「キング・ジョージ五世」および「ロドネイ」、重巡「ドーセットシャー」が到着し「ノーフォーク」とともに「ビスマルク」を包囲、午前8時47分に砲撃戦が開始された。最後の一弾まで戦う決意で臨んだ「ビスマルク」だったが、回避行動すら取れない状態では多勢に無勢であった。9時31分に最後の主砲斉射を行った後は完全に沈黙、イギリス艦隊の激しい砲撃にさらされるのみだった。

イギリス艦隊は「フッド」の仇を討つべく約2,500m～4,000mの至近距離から猛砲撃を加えた。合計2,876発の砲弾を受けた「ビスマルク」だったが、堅い装甲を貫徹した砲弾はほとんどなく、依然として海上にその姿を留めていた。イギリス艦隊は10時16分に砲撃を止め、「ドーセットシャー」が接近して魚雷を発射、10時39分に「ビスマルク」はようやく沈没した。しかしこの直前の10時10分、「ビスマルク」の艦内では自沈命令が下され、機関室の爆薬に点火されており、いずれにせよこの運命からは逃れられなかっただろう。

◀1931～32年頃のイギリス巡洋戦艦「フッド」。その偉容はイギリス海軍の象徴とも謳われ、38cm砲8門の火力、30ノットの高速は「ビスマルク」に匹敵する性能だったが、防御に弱点があった

フライホークの最新「ビスマルク」

2018年、フライホークから英戦艦「プリンス・オブ・ウェールズ」、独戦艦「ビスマルク」の2つの有名外国艦キットが発売されました。フライホークはディテールアップパーツの開発から始まり、次第に軽巡など比較的小さいサイズの艦艇キットを中心にリリース、そしてついにメジャー大型艦のキットを発売するまでに至りました。今後のラインナップがますます気になるメーカーです。

フライホークキットのコンセプトは単純明快で、とにかく繊細で緻密なモールドと情報量の多さを追及していることです。従来は別パーツでの再現はされてこなかった艦橋装備品の類も実に細かいところまで再現していて、そのため小さく繊細なパーツが多くなっており、ディテールアップパーツを使わずに製作するとしても、経験の少ない方にとっては、敷居が高いキットだと言えます。

またディテールアップパーツの開発メーカーということもあり、別売りの純正ディテールアップパーツが豊富なのも特徴です。今回は「ドイツ海軍戦艦 ビスマルク 1941年エッチングパーツ」（品番FLYFH710037）、「ドイツ海軍戦艦 ビスマルク 1941年木製甲板」（品番FLYFH710035）、「ドイツ海軍 38cm/52 SK C/34金属砲身 後期ショートタイプ」（品番FLYFH760145）、「ドイツ海軍 15cm/52 SK C/28金属砲身 後期ショートタイプ」（品番FLYFH760147）、「ドイツ海軍戦艦 ビスマルク 1941年 10.5cm/65 C/33金属砲身」（品番FLYFH710040）などを使用しましたが、これらは明らかに経験豊富な上級者向けです。説明書には「より多くのペーシェンス（忍耐）と技術が必要」との言葉があるのですが、まさしくその通りで、国内メーカーキット

ドイツ海軍 戦艦 ビスマルク

ライン演習作戦、1941年5月

KRIEGSMARINE SCHLACHTSCHIFF BISMARCK

Unternehmen Rheinübung, May 1941

【製品データ】
◆ドイツ戦艦 ビスマルク 1941年
◆発売元／フライホーク
◆販売元／ビーバーコーポレーション
◆7800円+税、発売中
◆1/700、約35.8cm
◆プラキット

の純正ディテールアップパーツしか経験のない方がこのキットのエッチングを見たら、その繊細さと要求される技術の高さに目が点になってしまうかもしれません。

新たなエッチング接着法

フライホークのディテールアップパーツを本格的に組み込むのは今回が初めてでした。パーツの繊細さは見聞きして知っていたのですが、その接着面積の小ささには驚きました。特に艦橋周りでは、接着する部分が点でしかないパーツがいくつかあります。

よく雑誌などで紹介されている方法に「ゼリー状瞬間接着剤で点付けしてから、流し込みタイプや通常タイプの瞬間接着剤で固定する」というのがありますが、「初めにゼリー状瞬間接着剤で接着する時に位置がズレたらどうするのだろうか？」、「エッチング同士ならやり直しが利くが、プラパーツへの接着でズレたら？」といった疑問を持っていました。そこで、以前からいずれ試してみたいと思っていた接着方法を、今回初めてこの「ビスマルク」で行ってみました。これにより誰もが楽に組むことができるようになるとは言いませんが、従来の方法よりは繊細なエッチングを接着する時のストレスが少なからず軽減されるはずです。またこの接着方法は張り線作業や、木甲板シートにプラパーツを接着する時にも使うことができます。

では、最初にその接着方法から説明したいと思います。用意するものは、「適当な金属板」、「強力タイプのテープのり」、「爪楊枝」の3点です。金属板は今回は板ヤスリの裏面を使っていますが、プラ用接着剤で溶けなければよいので、アクリル板でも構いません。最後にふき取るために表面は平滑なものがよいでしょう。

まず金属板にテープのり（今回使用したのはプラス「ノリノビーンズ」など）をつけます。その上に流し込みタイプのプラ用接着剤（タミヤの緑キャップ、「速乾」ではないもの）を垂らし、爪楊枝の先端でこねて混ぜ合わせます。爪楊枝の先端は少し斜めにカットしておくとやりやすいです。混ぜたあとの状態は、とろみの付いたスープぐらいの感じです。足りない場合は接着剤を追加します。

こうして作った接着剤をエッチングパーツの接着部に付け、エッチングを取り付ける部分に置きます。粘着力でくっ付くので位置がズレても何度かやり直すことができます。

位置が決まったら少し（10数秒程度）乾燥させると、流し込み接着剤の成分が揮発し、テープのり本来の粘着力が復活します。そこで瞬間接着剤を伸ばしランナーで接着箇所に付けて補強します。点で接着するようなところは流し込みタイプより通常タイプの瞬間接着剤がいいと思います。瞬間接着剤を付け過ぎてしまったという場合は、少量であれば流し込みタイプのプラ用接着剤で取り除くことができます。この場合はGSIクレオスのMr.セメントSPが一番オススメです。

金属板につけたテープのりはすぐに乾きますが、また流し込み接着剤を垂らせば同じ状態になるので繰り返し使えます。作業後に金属板からテープのりを取り除きたいときは、流し込みタイプのリモネン系接着剤を垂らして拭き取れば簡単に取り除けます。リモネンはシール剥がしスプレーなどにも使われている成分です。

甲板構造物の工作

さて、前置きがずいぶんと長くなってしまいましたが、製作の本題に入ります。

いつもであれば「まずは船体から」となるところですが、先に甲板上の構造物から組み立てるという順番を採りました。というのも、この「ビスマルク」の製作を始めた時はすでに作業時間が少なくなってきていて、できるならバルティック・スキームを施したいけれども、はたしてそれを行って時間内に完成できるかどうかわかりませんでした。そこでまず構造物から製作し、迷彩塗装に充分な時間が割けるかを判断することにしました。

まずは各パーツをランナーから切り出すところから始めま

す。ランナーから切り出したパーツの保管には、私はいつも100円ショップで売られている、錠剤やカプセルを小分けにしておくためのケースを利用しています。本キットではパーツの数と種類が多いので、ケースの底に両面テープを貼って、その上にパーツを並べて保管するようにしました。

構造物を組み立てる前に、エッチングに置き換える部分のモールドを削り落としていきます。パーツには緻密なモールドが施されており、周囲のモールドを傷つけることなく不要部分を削り落とすのはなかなか困難です。狭い範囲のモールドを削り落とすにはスジボリ堂のタガネがオススメです。というよりも、これ以外の選択肢が私には思いつきません。

削った後の表面を整えるのには、GSIクレオスのMr.ポリッシャーPROに、自作の冶具を取り付けて行っています（製作画像を参照）。またごく狭い部分では、スポンジヤスリを小さく切ったものをピンセットでつまんで修正しています。ディテールアップパーツの説明書に指示はありませんが、エッチングには浮き輪もありますので、それに置き換える場合はモールドを削り落とすのを忘れないようにしてください。

木甲板には専用ディテールアップパーツの「ドイツ海軍 戦艦 ビスマルク 1941年木製甲板」（品番FLYFH710035）を使用しました。ところどころスジ状に薄くなって透けている部分がありますので、あらかじめパーツの木甲板部分をタンで塗装しておきます。木甲板シートを貼るときは、裏面の剥離シートを剥がす前に、必ず一度パーツに合わせて確認しましょう。面積の広い部分では、内側の切りぬかれた部分がモールドにうまくはまらないことがあります。そういった場合には無理せずに途中で分割したり、切れ込みを入れてから貼った方がよいです。作例では、中央の舷側にある小さいボラードのモールドが引っかかって上手く貼ることができなかったので、モールドを削り落として後から伸ばしランナーで再生しました。

エッチングパーツの取り付け

続いてエッチングパーツの取り付けですが、特に注意する部分について説明します。

ディテールアップパーツの説明書では、図の通りに行うと上手く組むことができない部分があります。煙突の探照灯のあるフラット(パーツC1)は折り曲げる部分をすべて曲げてしまうと、手摺りと補強用三角プレート部分がモールドと干渉して取り付けることができなくなります。一体になっている手摺りのうち、両側のものは切り離して後から接着した方がいいと思います。また見ればすぐに矛盾に気づくことですが、説明書の3Dイラストではフラットに開いた穴を通るパーツが、フラットのない状態で煙突に取り付けてあるように描かれています。説明書にとらわれることなく、よく順番を考えて組み立ててください。

次に煙突両脇にある水偵格納庫ですが、屋根の上にある短艇の搭載台配置は本来は左右非対称ですが、エッチングの設計者が左右対称と思い込んでしまったのか、右舷側のパーツを反転コピーしたデータで左舷側の搭載台を設計しています。この結果モーターボート用の台にカッターを取り付けることになり、船底部がエッチングと合わなくなります。無理やり接着できなくはありませんが、配置は実艦と異なってしまいます。作例では、モールドを削り落とした後にこのことに気づいたので、瞬間接着剤でカッター用搭載台のエッチングをコピーするという荒業を使って実艦と同じ配置にしました。もし実艦と同じ配置にしたいのであれば、その部分だけモールドを削り落とさずに残しておくのが、一番簡単な方法です。

次に注意が必要なのが艦橋です。説明書では2階層分+1カ所の取り付け指示が抜けています。詳しくは製作画像を確認してください。探照灯と20mm四連装機銃が配置されたフラットの下面には足場のエッチングがあるのですが、指示位置よりわずかでも内に寄せて取り付けてしまうと、下の階層にあるアドミラルブリッジの屋根と干渉してしまいますので気を付けてください。また、フラットを取り付けるプラパーツ側の溝は少し掘りこんでおかないとエッチングがはまりません。これは煙突のフラットの取り付けでも同様です。そして、フラットのエッチングは溝の上側に密着させて取り付けないと干渉する部分が発生するので、これにも注意が必要です。

シェルター甲板などの構造物のエッチング手摺りは、木甲

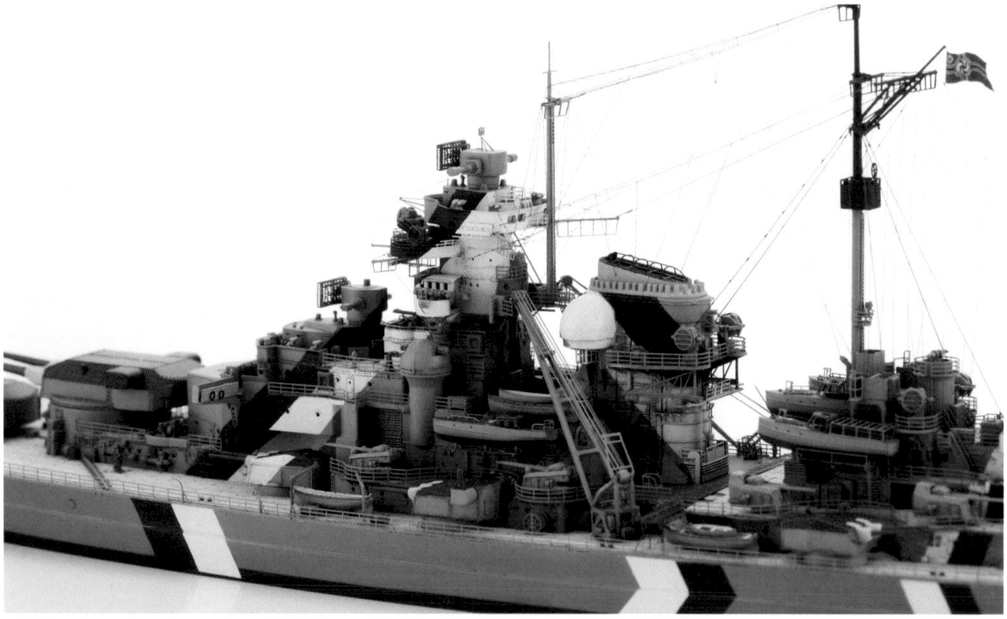

▲左舷から見た前部構造物。大型の基部を持つ塔型艦橋と煙突部は、ビスマルク級戦艦に限らずドイツ艦ではよく似た形状とレイアウトが採用されている

▲バルティック・スキーム時の「ビスマルク」の実艦写真は右舷側のものが多く、左舷側のパターンはあまり明確ではなく、現在もさまざまな考証が存在する

▶艦中央部。煙突両側面には飛行機格納庫が設置され、アラドAr196水上偵察機4機を格納可能。偵察機は中央を横切る形で設置されたカタパルトで射出する

板シートの縁（カットされた切断面）に接着しました。舷側の手摺りは、細く切ったプラ板と木甲板シートで挟み込むようにして取り付けています。

細かい部分まで突き詰めるとまだまだ説明が必要な部分はありますが、そうするとあまりに長くなりすぎますので省略します。結論としては、とにかく各パートの完成形を想像しながら常に先を読んで組み立てていってください。

塗装

まずバルティック・スキームの迷彩塗装図ですが、模型雑誌に掲載されていたものや、画像検索で出てきたものはどれも黒白ラインの通る位置が実艦と違っていました。最終的にはConway社のAnatomy Of The Shipシリーズ「The Battleship Bismarck」（ペーパーバック版）の裏表紙に掲載されているものが、一番実艦のラインを捉えているように思えたので、そちらを参考にしています。

塗装色についても調べましたが、サイトによってサンプル画像の色合いが異なっていたので、それらを参考にしつつ自分の好みのイメージに合わせて調色しました。船体については「バーラム」と同じようにすべて「色ノ源」で調色しています。各構造物の基本色は、キットの指示では船体に塗装することになっているカラーで塗装しました。

バルティック・スキームの黒白ラインは、黒は真っ黒ではなく少しだけ白を混ぜ、白には少しだけ軍艦色を混ぜて明度を落としています。砲塔上面の赤は、過去にタミヤの「プリンツ・オイゲン」用に調色しておいたカラーを、明度を落として塗装し

◀右舷前方から見た艦橋。艦橋トップと司令塔の上にある測距儀とFuMo 23レーダーは、どちらも竣工時は存在せず、1941年1月までの残工事で装備された

◀左舷下方から見た艦橋。作例はバルチック・スキームをまとった1941年3月から5月頃を想定しているが、砲塔上面色については実にいろいろな説がある

ました。

エッチングやプラ材でディテールを作り込めば、自然とシャープな陰影ができるので、過去の作品のほとんどでスミ入れは行ってきませんでしたが、この作例ではキットのモールドのままとしたので、タミヤのスミ入れ塗料（グレイ、ライトグレイ、ダークグレイ）でスミ入れを施しています。

最後に

「ビスマルク」の製作にかかった時間は約230時間でした。「バーラム」と比較して約3分の1です。これほど完成度の高い模型が、この時間で出来上がってしまうのかと驚きました。ただ改善してもらいたい点もいくつかありました。そのうちのひとつが予備パーツがないことです。艦橋の光学機器類や機銃などの小さいパーツは必要数ピッタリで、紛失してしまったらアウトです。これはディテールアップパーツも同様です。

最後の最後に本音を書きますが、このキットをフルディテールアップで完成までもっていくには、高いリカバリー力が必要です。具体的にいうと、場合によってはパーツを自作できる技術を持っていることです。そしてリカバリーとは自分のミスに対してだけでなく、メーカー側のミスのリカバリーも含みます。

正直なところ、「ぜひチャレンジしてみてください！」とはいえません。あえてこの苦難へと立ち向かわれる方々には、幸運に恵まれ、無事完成まで辿り着けますことをお祈りします。

▶主砲および副砲の砲塔上面をレッドで塗り、甲板前後にスワスチカを描いている。「ビスマルク」の短い生涯の中で、最も派手な塗装を施した状態だ

上部構造物の工作

1

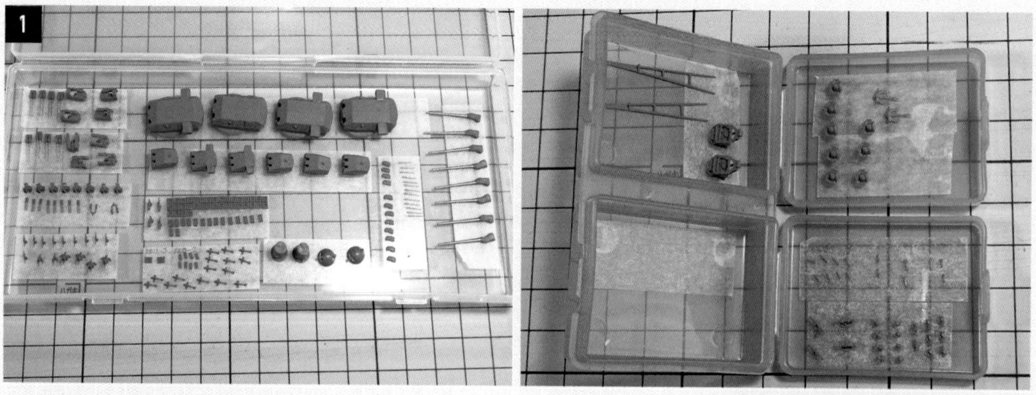

◀初めに兵装や各種装備品パーツをランナーから切り出し、手間のかかるゲート処理をまとめて行った。塗り分けが必要なく、先に組んでおけるパーツ（探照灯など）は組み上げ、金属砲身の取り付けも行った

2

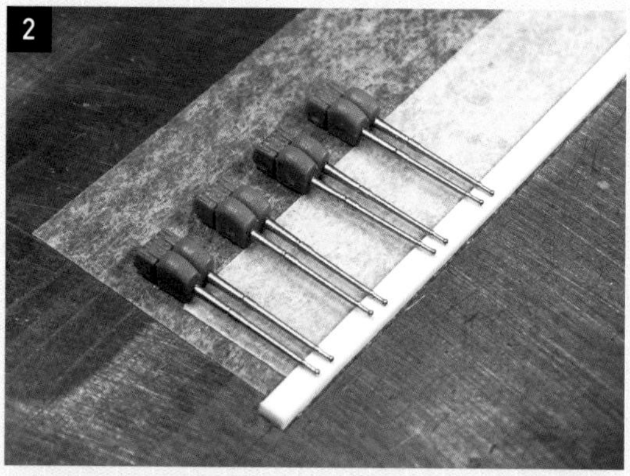

◀金属砲身の角度を合わせているところ。砲身の角度が左右で違っていると、せっかくの金属砲身の精密感をだいなしにしてしまうので、ここはきっちり揃えたいところ

3

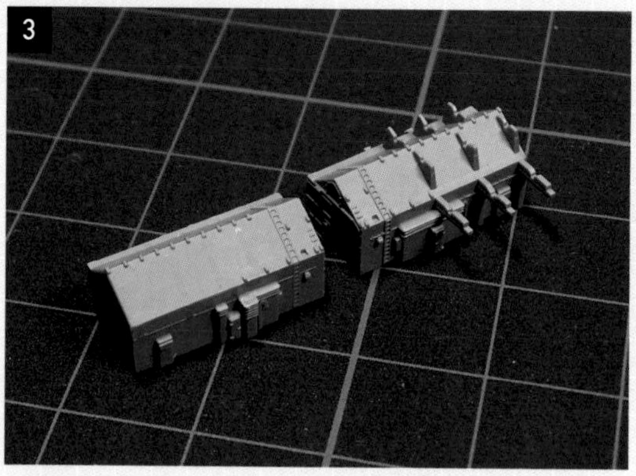

◀エッチングパーツに置き換える箇所のモールドを削り落とす。周囲のモールドを傷つけないように、場合によってはマスキングで保護して、該当箇所のみを削り取る。なおこの時点では気づいていないが、本文のとおり搭載台エッチングに設計ミスがあるので注意

4

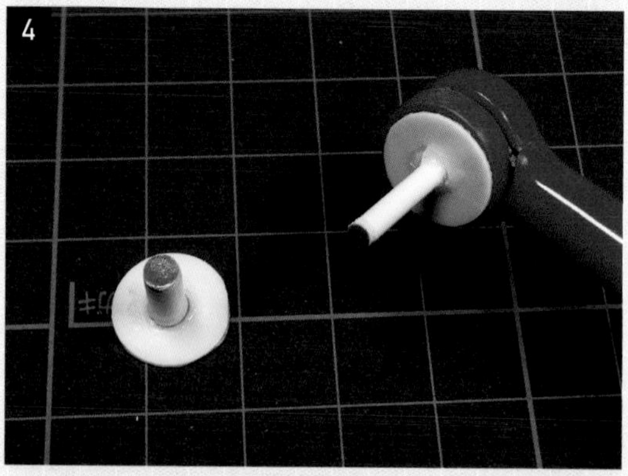

◀モールドを削り落とした後は、細かいところまで磨くことができる自作のアタッチメントをMr.ポリッシャーPROに取り付け、細かいキズの修正を行った

5

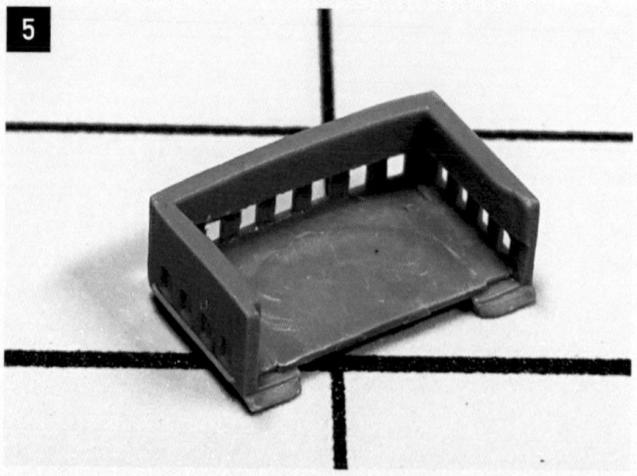

◀アドミラルブリッジの四角い窓は裏側からタガネで削り込んで開口した。露天の航海艦橋があるパーツ（U-1）の前面にある四角い窓もタガネで彫り込んでいる

6

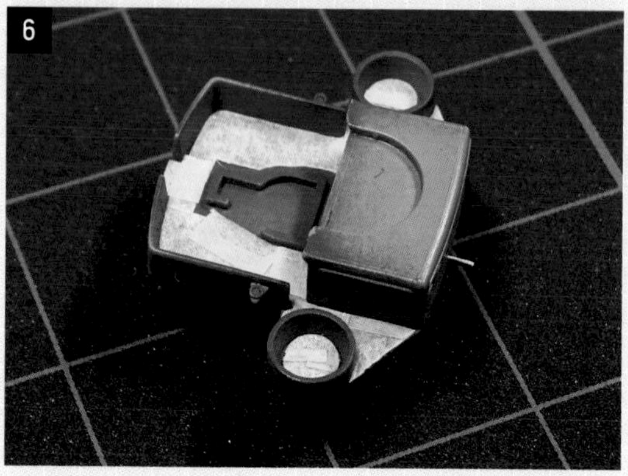

◀アドミラルブリッジの床面塗装後にマスキングをしたところ。メーカー純正のマスキングシートは木甲板部分のみで、鉄甲板部分と木製グレーチング部分は含まれていないため、自分で形状に合わせてマスキング作業をする必要がある

7

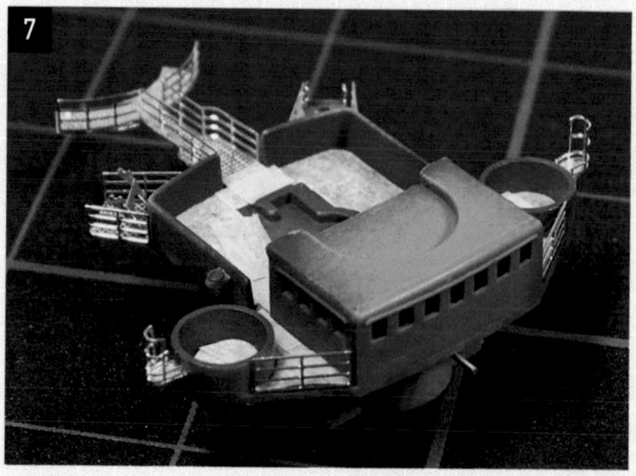

◀アドミラルブリッジのエッチングの取り付けが終わったところ。アドミラルブリッジ前面の両側にある手摺りは純正ディテールアップパーツに入っていないので、舷側の手摺りで余ったものを取り付けた

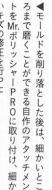

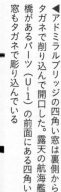

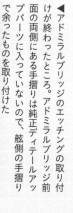

8 ◀煙突後方のフラットは、本文に書いたとおり組み立てには注意が必要。ジャッキステーは黒白線を塗り分ける際に外れてしまうことを避けるため、鎌倉模型工房の「精密ジャッキステー」を使用した

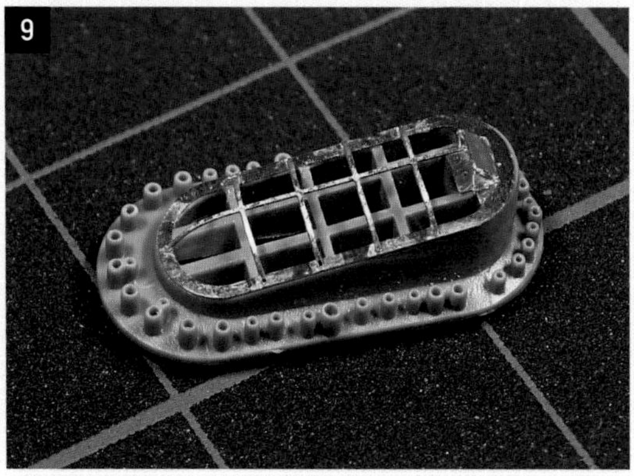

9 ◀煙突頂部にエッチングパーツを取り付け。排煙口周囲の蒸気捨管の穴は、モールドをドリルで深く掘り込んだ

10 ◀後部艦橋にエッチングパーツを取り付け。マストの支柱、信号所、探照灯のあるフラットの位置関係が微妙で、マストに信号所を密着させると信号所から後方のフラットへと降りる階段が付けられなくなり、信号所とフラットを密着させると、今度は信号所とマストに隙間が空いてしまう。ただし作例では都合により他社製マストを使用しているので、純正パーツで同じような状況になるかはわからない。この他、最後にモーターボートを取り付ける際に、外側のモーターボートが内側にあるグレーチングの足場と干渉したため少々強引に取り付けざるを得なかった

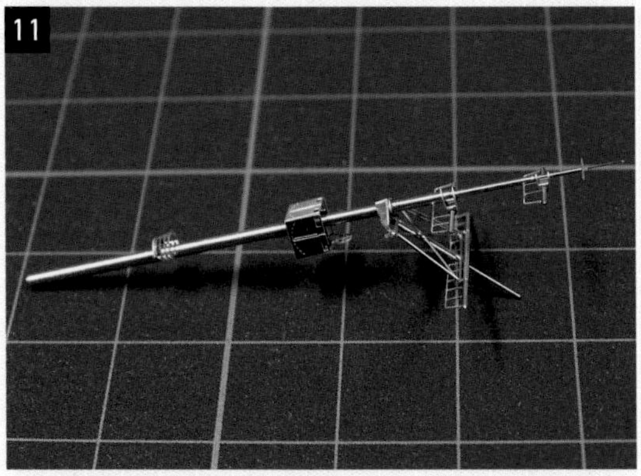

11 ◀諸事情によりマストはインフィニティモデルのパーツを使用した。このパーツを使用することになった場合は、説明書の各部の取り付け指示が実艦とは異なっているのでよく確認する必要がある

12 ◀説明書の指示にないが、ホイストクレーンのエッチングにプラパーツから動力部分を切り出して取り付け。艦橋の探照灯フラット下面の警笛（?）も同様にプラパーツを移植

13 ◀ディテールアップしたモーターボート。窓のピラー部分には折り曲げるためのスリット状の隙間が空くので、裏側から瞬間接着剤で埋めた。デッキ上に取り付けるエッチングの接着には集中力を要する。特にバウレール（中央のパーツ）は接着面積が少ないのでテープのりによる接着法をぜひ活用してもらいたい

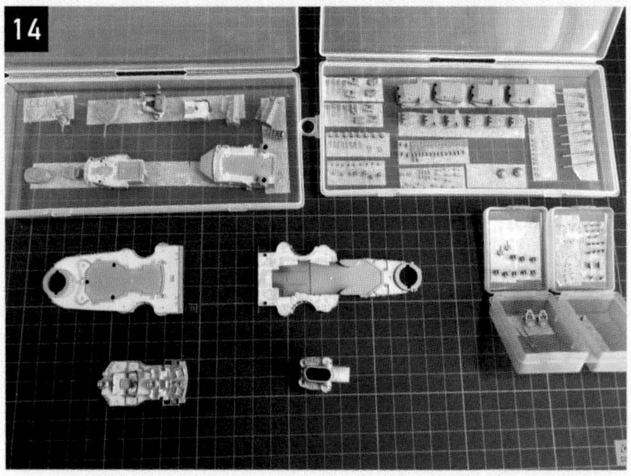

14 ◀一通り構造物のディテールアップを終えたところ。エッチングは繊細で破損しやすいので保管には充分注意する

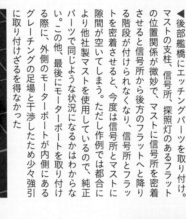

船体・木甲板の工作と塗装

1 ◀艦尾のアンカーは、シャンクが内部に入り込んでいるように改造した

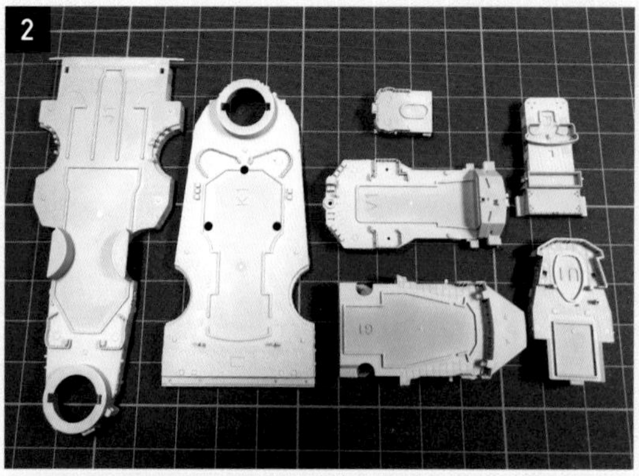

2 ◀木甲板シートは厚みが薄くなっている箇所があるので、貼る箇所にはタンで下地塗装しておく。木甲板シートより少し明度を下げて調色している

3 ◀面積の広い部分の木甲板シートは、無理にそのまま貼ろうとせずに適宜分割したほうが良い。第1砲塔バーベット部分にはめようとするとシートが歪んでしまったので、二分割して貼り付けた

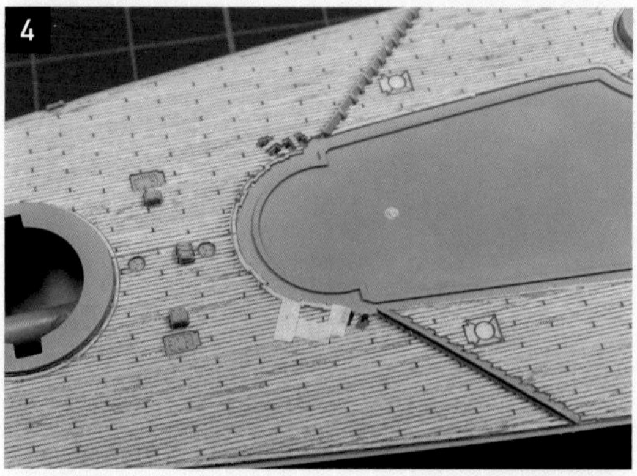

4 ◀木甲板シートがバーベットの周囲にある角型の通風筒の形状にカットされていない。パーツを合わせて、マスキングで印をつけながらシートをカットした

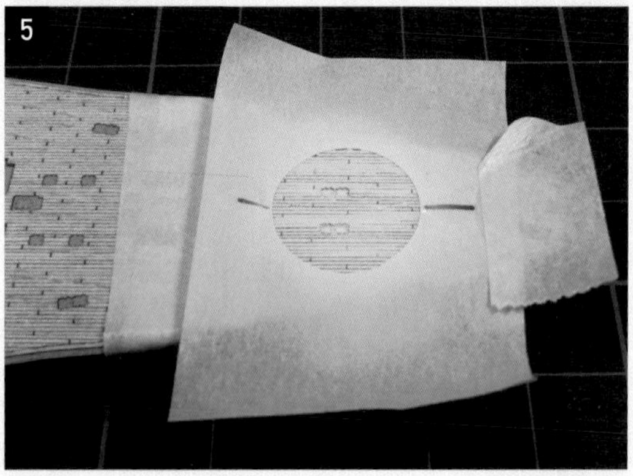

5 ◀艦首尾甲板上にあるスワスチカは、デカールではなく塗装で表現した。初めに中央の白丸をマスキングで塗装

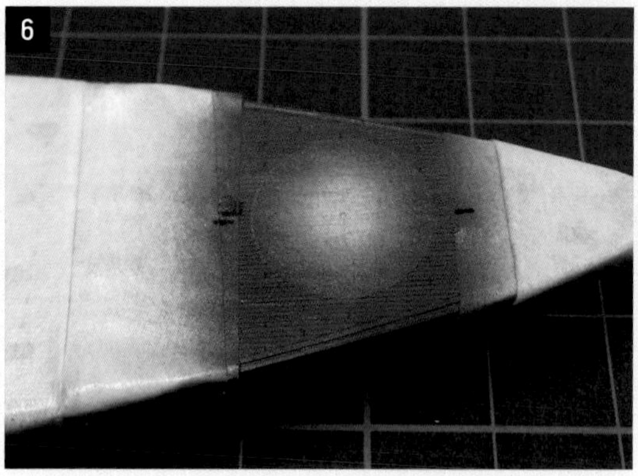

6 ◀続いて、白丸部分をマスキングし、赤で塗装。このあとの写真を撮り忘れてしまったが、スワスチカはキットのデカールをスキャンして、パソコンで作成した型紙を使って塗装した

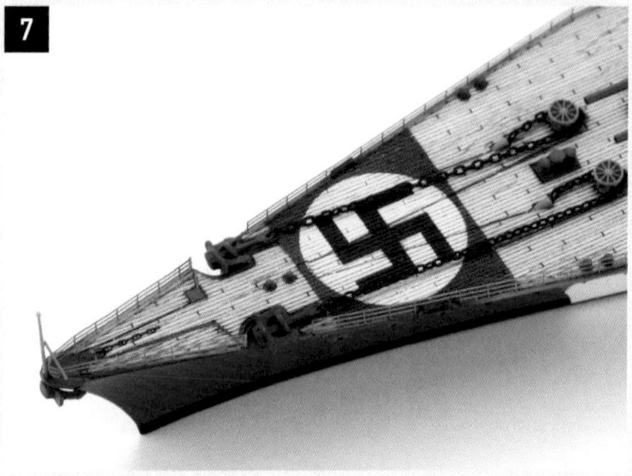

7 ◀スワスチカの黒を塗装後、錨や木製甲板セットに同梱されている黒染め済みのチェーンを取り付け。なお錨鎖導板の木製甲板は別体のものを張り付ける

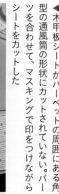

船体の塗装

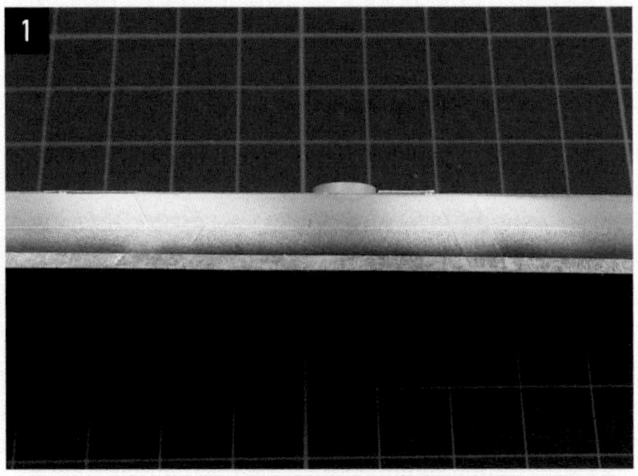

1 ◀船体の塗装は、まず白線部分を塗装してマスキングし、次に吃水線付近の黒ラインを塗装してマスキング

2 ◀次にライトグレーを塗装してマスキングし、最後に黒線を塗装したが、写真でもおわかりのとおり、迂闊にも塗料が乾く前に指で触れてしまった

3 ◀こういう時は、慌てずに塗装が完全に乾くまで待つ。その後、少量の水を付けたスポンジヤスリやGSIクレオスの布ヤスリ「Mr.ラプロス」でていねいに凹凸を取り除く

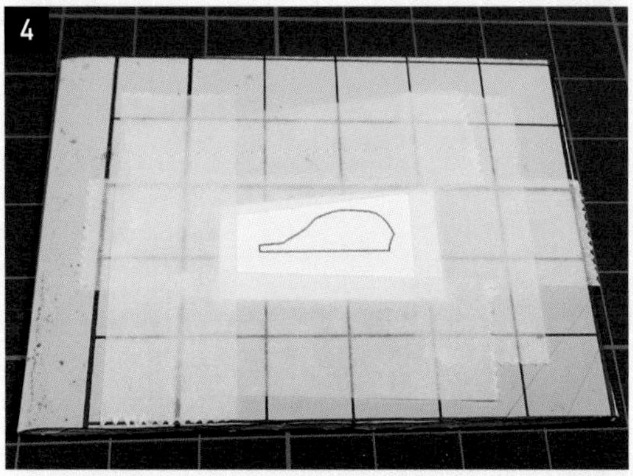

4 ◀迷彩塗装のパターンはパソコンで型紙を作り、それに合わせてマスキングテープをカットした

5 ◀船体を塗装してから舷側の手摺りの取り付けを行った。木甲板シートの縁と細切りの0.15㎜厚プラ板で挟み込むことで、多少手が触れても簡単には外れないようにしっかり固定した

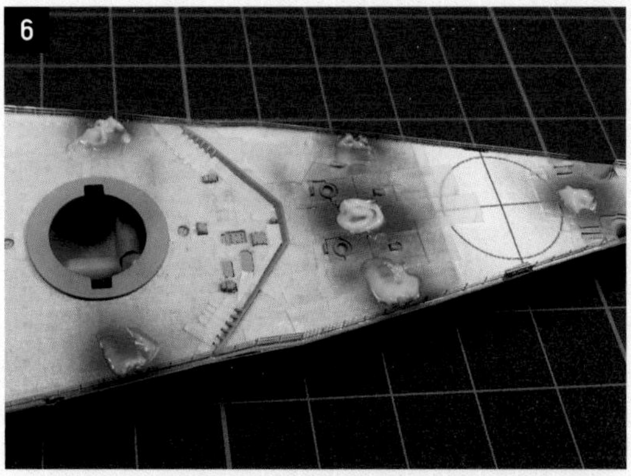

6 ◀甲板をマスキングした後、ボラードをダークグレーで塗装してMr.マスキング・ゾルNEOでマスキングしたところ。スワスチカ部分を紙で覆っているのは、マスキングテープでは塗装が剥がれてきてしまうため

7 ◀専用のマスキングシートは、波除けの部分がカットされていない。木甲板シートを先に貼って、後から波除けを取り付けるのはリスクが大きいように思えるので、ここは面倒でも地道にマスキングを行ったほうがよいと思う

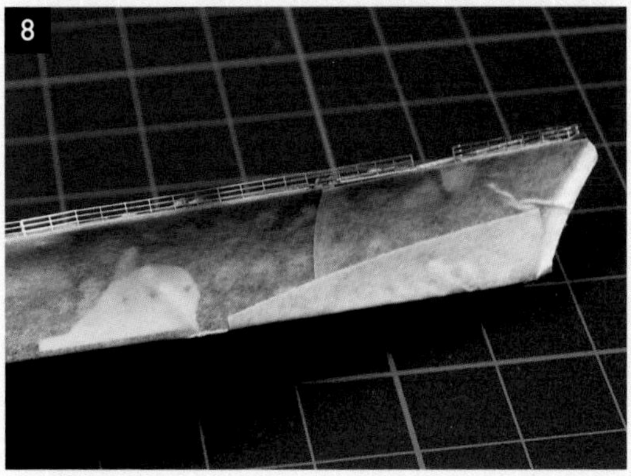

8 ◀船体の迷彩塗装をマスキングしてから、手摺りと甲板上のライトグレー部分を塗装した

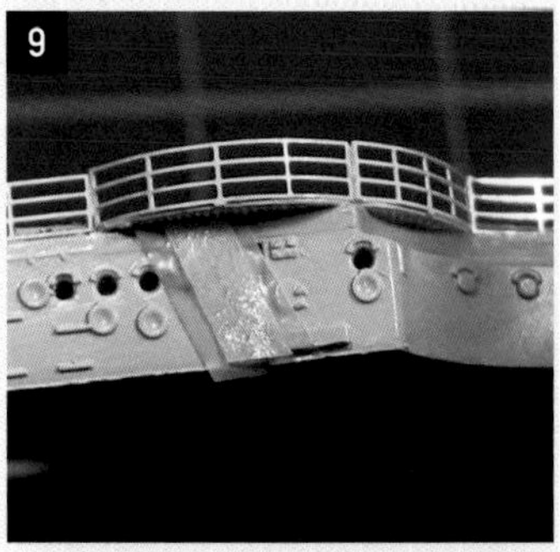

◀構造物の黒白線の塗り分けには、モールドの凹凸に密着させるために、ハセガワのフィニッシュシートを使用した。当然マスキングテープよりも塗装面に張り付く力が強いので、塗装が剥がれないようにMr.メタルプライマー（「改」ではなく旧版）を塗ってから塗装している。旧版のMr.メタルプライマーはハケ塗りでもムラが出ず、プラパーツの部分的な塗膜剥がれ防止にも重宝していたので、なんとか復活させていただけないかと願っている

◀フィニッシュシートで対応できない凹凸部分はMr.マスキング・ゾルNEOでマスキングした

◀艦橋は、白黒ラインの角度がズレないように下から順に塗装していった。司令塔のある階層（U-1）より上は接着しているが、一番下の階層（G-1）は接着していない。これは、ここですべて接着してしまうと、艦橋から煙突へとつながる通路部分を合わせるのが困難となってしまうからである

◀煙突頂部は、周囲をシルバー（白を少し混ぜている）を塗ってマスキングし、後から黒の塗装を行った。写真ですでに黒を塗装してあるのは、初めは逆の手順で行おうとしていたため

明示されていないパーツの取り付け箇所

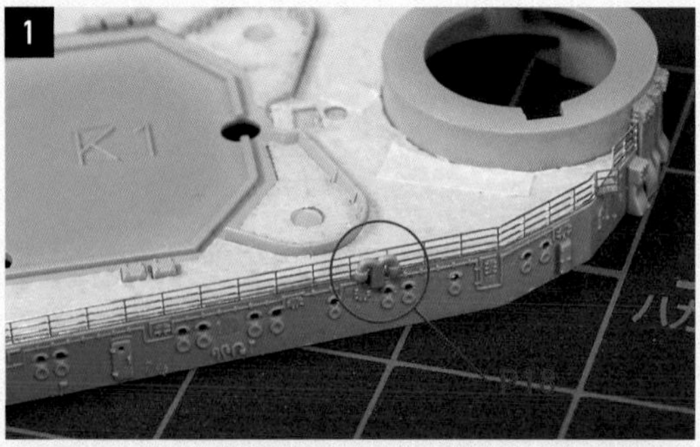

◀後部構造物（パーツK-1）の左舷側後方には、M字形の吸気パイプ（パーツP18）を取り付ける

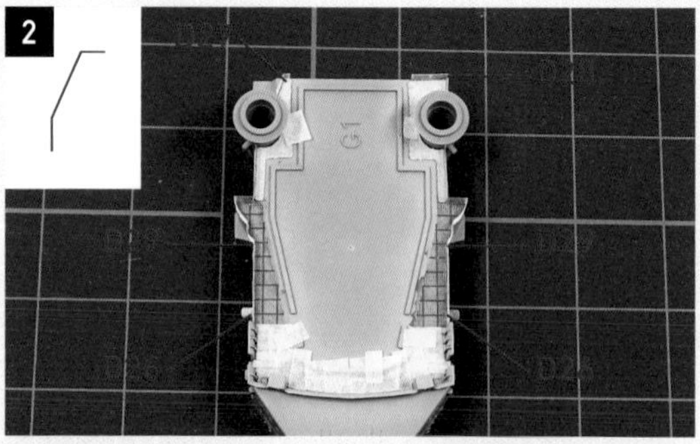

◀艦橋基部（パーツG-1）には写真の通りエッチングパーツを取り付ける。木甲板シートを使用する場合、エッチングパーツD27に合わせて角を斜めにカットしておくこと

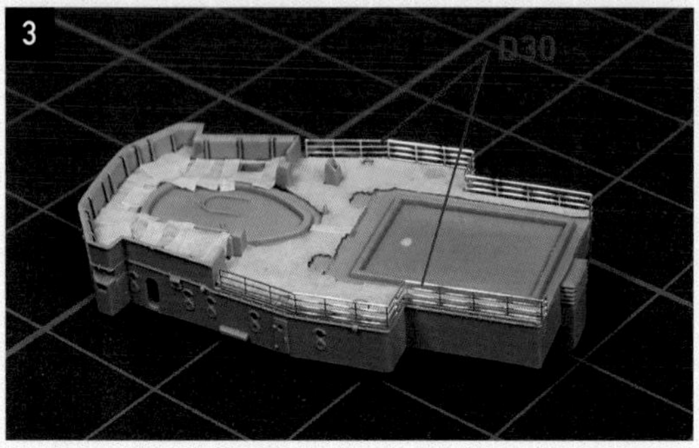

◀艦橋基部上部（パーツU-1）の両側面には、エッチングパーツの手摺り（パーツD30）を取り付ける

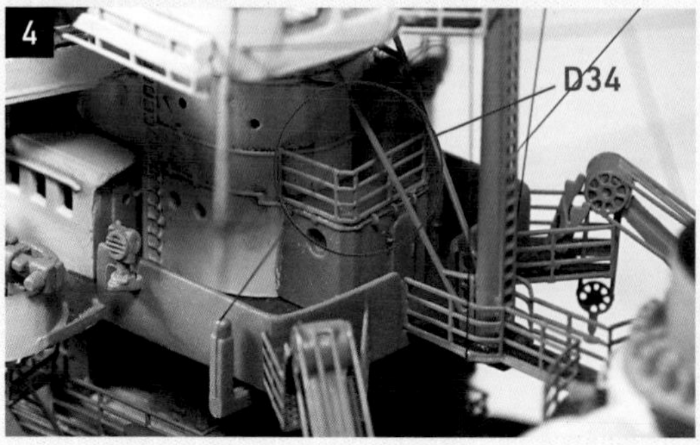

◀艦橋本体（パーツL-3）の後面にある小部屋の上部に、エッチングパーツの手摺り（パーツD34）を取り付ける

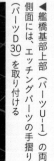

キット製作時の注意点

1

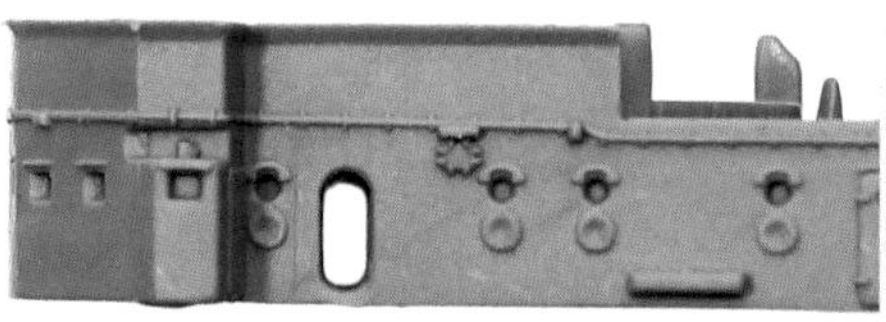

◀パーツU-1の側方にある開口部は露天艦橋に上る階段へとつながる部分で、反対側に筒抜けになってはいない。横から見た時、反対側の光が透けないように中央にプラ板を接着しておいた方がよい。筆者はこの処置をうっかり忘れてしまった

2

◀パーツP-43裏側。赤丸で示した部分は、パーツS-2と干渉するので0.5㎜ほど削る必要がある。エッチングパーツに置き換える場合は関係ない

3

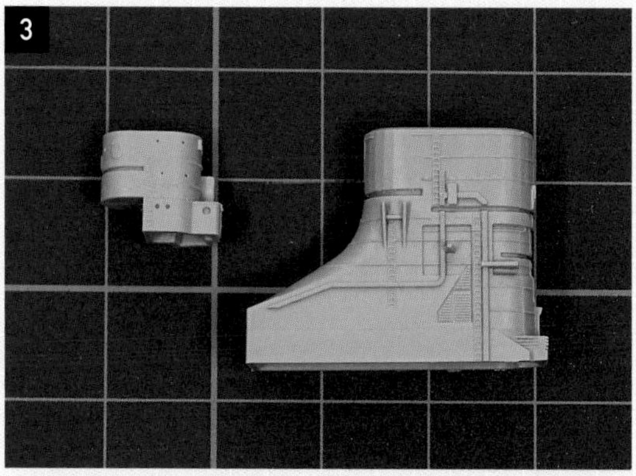

◀煙突などにエッチングのフラットを取り付ける場合は、そのままではパーツ側の溝に取り付けられないので、少し彫り込んでおく必要がある。作業ツールにはスジボリ堂の0.3㎜幅のタガネがオススメ

4

◀高射装置のパーツ（ドーム部分）は、先に接着してしまうと艦橋パーツを積み上げていく時に邪魔になる。最終段階で接着したほうが良い

5

◀煙突左舷側の水偵格納庫（T-1）に取り付けるエッチングには設計ミスがある。精密感を極力損なわずに、最小限の工作で実艦と同様の構造とするには、写真の青で囲った部分のモールドを残しておき、その部分のエッチングを外側に持ってくるのがベストだと思う

6

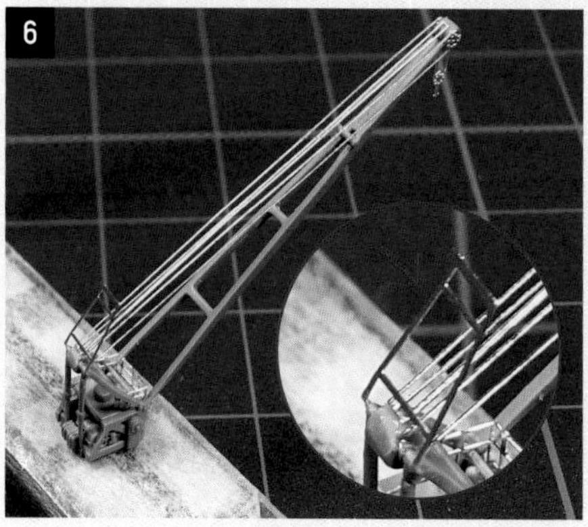

◀説明書にある3Dイラストでは、矢印で示したパーツ（E53）はワイヤーの上になるように描かれているが、実際には枠の中をワイヤーが通っている。参考とした過去の模型雑誌の作例が同じ状態になっていたため、気付かずに製作してしまった。エッチングのワイヤー部分を枠の中に通して、実艦と同じ状態にできるか否かはやってみないとわからない

7

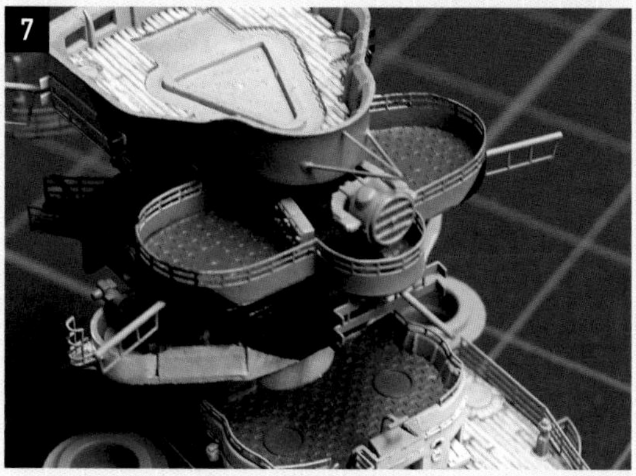

◀艦橋前方にある探照灯は、トップの露天艦橋のパーツを接着する前に取り付けておかないと、空中線支柱が邪魔になり、後からでは取り付けが難しくなるので要注意

テープのりを使ったエッチングパーツ接着法

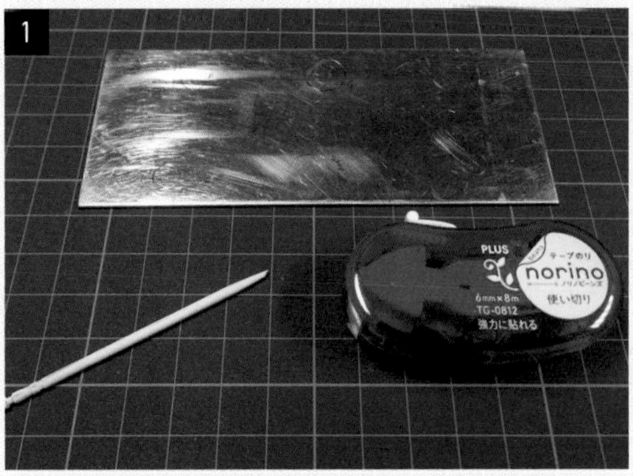

◀金属板（アクリル板でもよい）、爪楊枝（先端を少し斜めにカット）、強力タイプのテープのり（プラス「ノリノビーンズ」など）を用意する

◀金属板にテープのりを貼りつけ、爪楊枝を使ってタミヤセメント（流し込みタイプ）と混ぜ合わせる。とろみの付いたスープぐらいの粘度に

◀接着剤で溶いたテープのりを、エッチングパーツの接着箇所に付ける

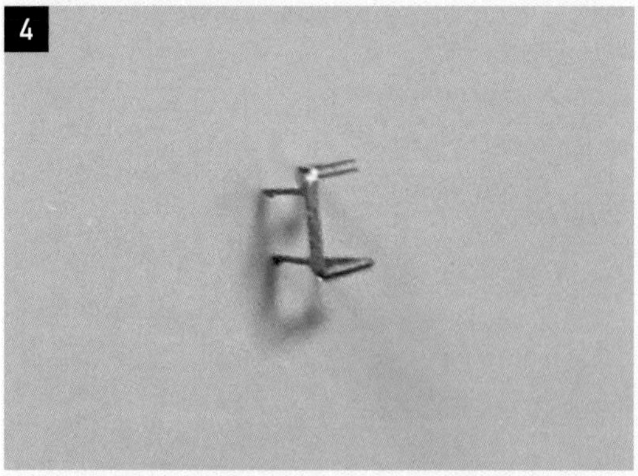

◀エッチングパーツを取り付け箇所に置く。位置がズレても何度かやり直せる。少し時間を置けば、写真のように傾けても落ちなくなる

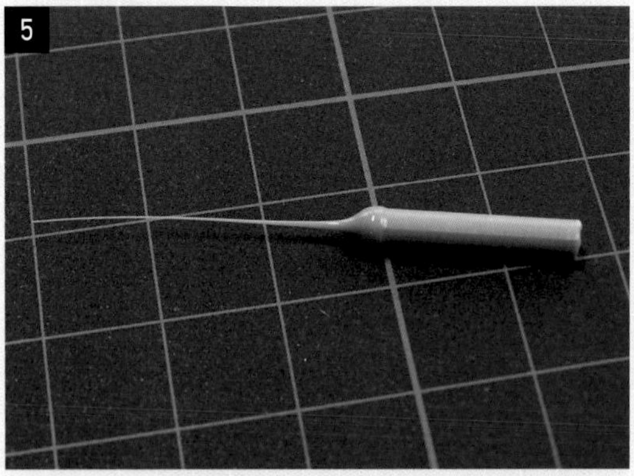

◀あとは伸ばしランナーで接着箇所に瞬間接着剤をサッと流し込んで固定。伸ばしランナーは写真のようになるべく細いものがよい

◀テープのり接着法を使い、上部構造物後部にエッチングパーツを接着。接着面積が少なく、位置決めや固定が難しいパーツ接着の様な場面では特に役立つはずだ

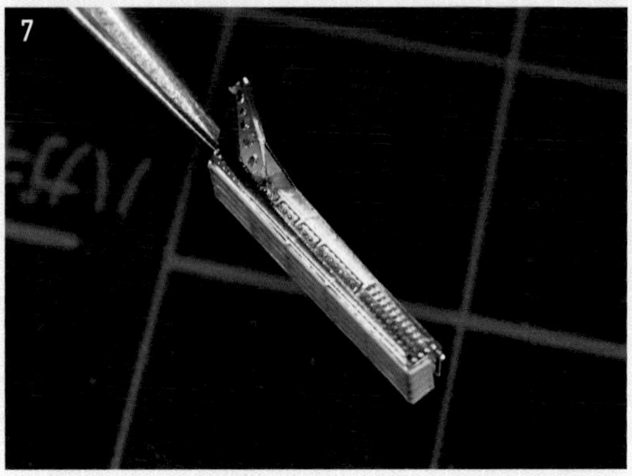

◀プラとエッチングパーツ、エッチングパーツ同士の接着でもテープのり接着法は有効。なおこのパーツは艦橋の横に設置された運河通過時に使用する折畳み式監視台である

使用アイテム

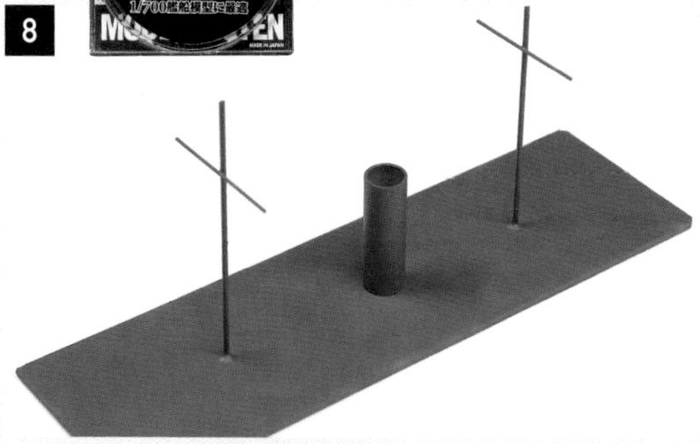

8

◀テープのりは張り線作業にも利用できる。マストと煙突を模したサンプルで説明する。張り線に使用する線は、モデルカステン「メタルリギング0.1号」を使用する

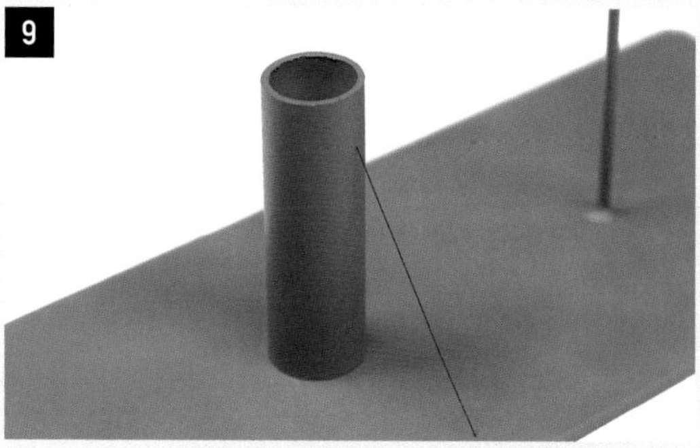

9

◀煙突の周囲には補強のためのワイヤーが張られている場合がある。この様なきわめて接着面積が小さい部分には、テープのりが有効である

10

◀前後のマストの間に張られている空中線の場合も、弛み具合を自由に調整することができる

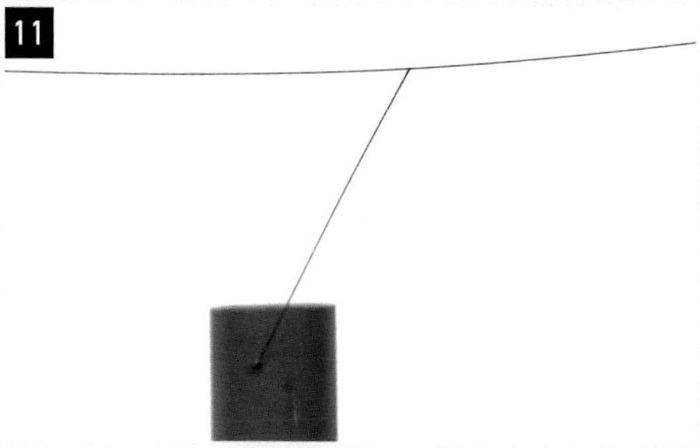

11

◀煙突の頂部などからマスト間に張られた線に空中線が伸びているパターン。線同士をT字に接着する場合、テープのりだと調整が難しい

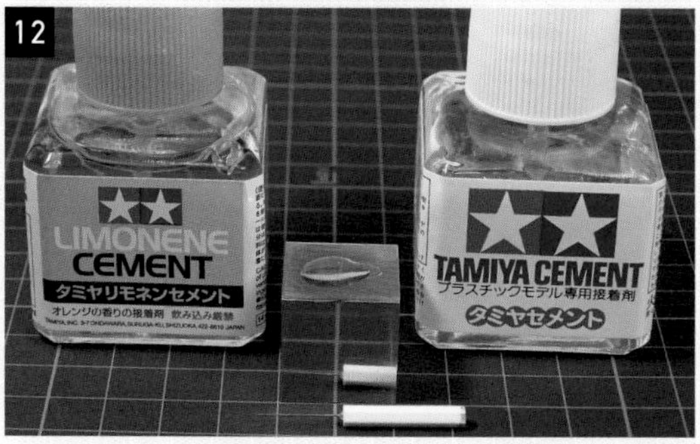

12

◀この様な場合は、リモネン系（オレンジ）とスチロール樹脂系（白）を混ぜた接着剤を使う。混ぜる割合（リモネン：スチロール樹脂）は4：1程度。リモネンが劣化して黄変してくると混ざりにくくなるので注意

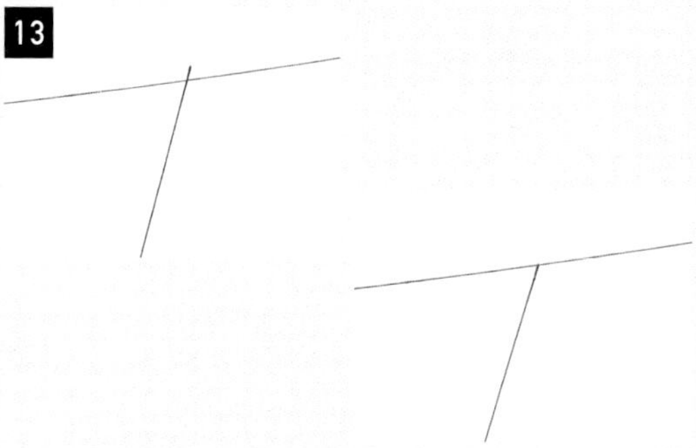

13

◀混合接着剤を先端に付け、少しだけはみ出した状態で接着。次に、接着剤が固まり切らないうちにピッタリの位置までずらしていく。完全固定には流し込みタイプの瞬間接着剤がオススメ

▶「ビスマルク」作例によるマスト間の空中線接着の例。艦船モデルの完成度を高めるためにはリギングのテクニックをマスターすることが重要だが、このページで紹介した接着法なら、簡単かつ確実に仕上げることが可能だ

工作ワンポイントアドバイス

[1] 細いプラパーツの切り出し

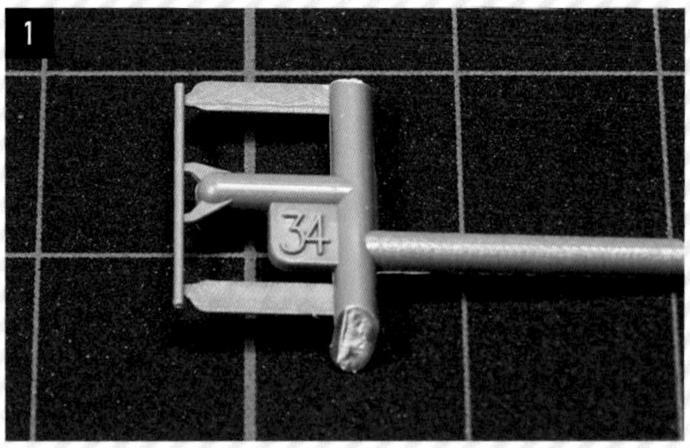

◀細長いプラパーツは、ランナーからそのままカットすると折れやすい。まずは周りのランナーごと切り出す

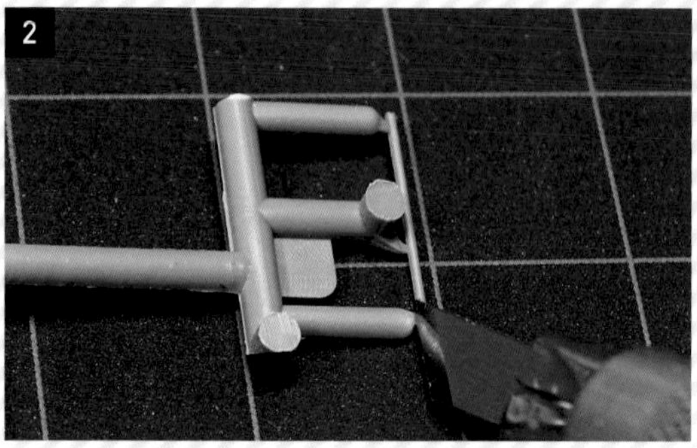

◀ゲート部分をなるべくカッターマットに近づけてデザインナイフでカット。こうすれば破損のリスクを最小限に抑えることができる

[2] エッチングのステップの曲げ方

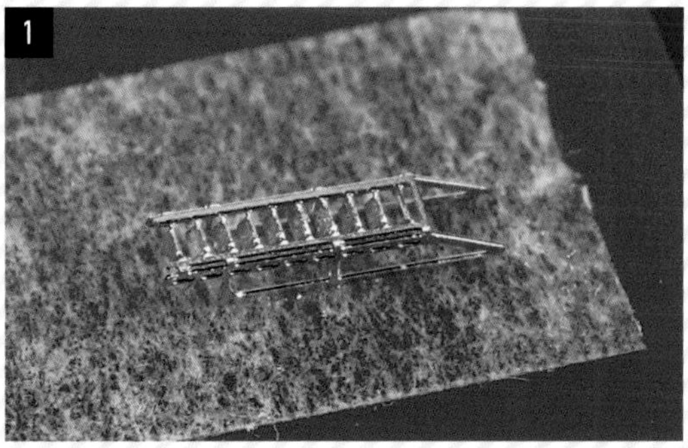

◀繊細な階段のエッチングのステップ部分をきれいに曲げる方法。手摺り側を両面テープで固定しておいて、ステップを押し込むように曲げていく

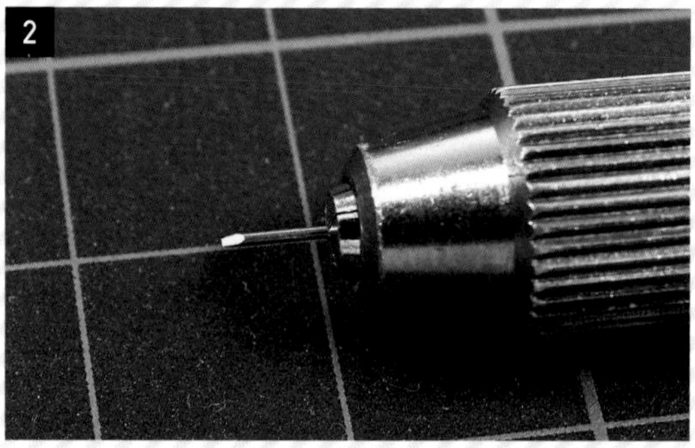

◀この様なステップ部分の曲げ加工には、写真のように金属線の先端をノミのように平たく加工した治具を作っておくと作業しやすい

[3] スポンジヤスリの使い方

◀細部の仕上げに使用する場合、まずスポンジヤスリを小さく切り出す。この場合は8～5㎜角程度の大きさ

◀裏側に付いているスポンジ部分はハサミなどで切り落としてしまう

◀ヤスリ部分のみとなったスポンジヤスリ。耐水ペーパーをカットしたものよりも柔軟性があり扱いやすい

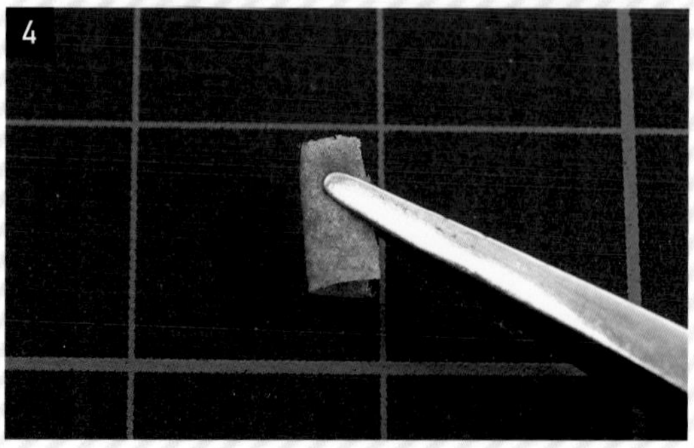

◀これをピンセットでつまんで使用する。擦る時にピンセットの先でパーツにキズを付けてしまわないように注意

[4] ボラードの自作方法

1

◀作成するボラードの高さに合わせてプラ板を用意する。例ではタミヤの0・5㎜厚を使用

2

◀作成するボラードの太さに合わせたドリル（例では0・5㎜径のドリルを使用）でプラ板に穴を開け、伸ばしランナーを差し込む。伸ばしランナーはなるべく太さが均一に近いものを使う

3

◀差し込んだ伸ばしランナーの下部を、少しだけ残してニッパーで切断する

4

◀切断面がプラ板と面一になるまで、Mr.ポリッシャーPROで平らにならす

5

◀平らにした側を適当な板の上に弱粘着の両面テープで固定し、ランナーが抜け出てこないようにする

6

◀伸ばしランナーの上部を同じように少しだけ残してニッパーで切断し、Mr.ポリッシャーPROで整える

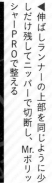

7

◀伸ばしランナーをプラ板から取り出せば完成。高さと太さが揃った均一なボラードを量産できる

8

◀「ビスマルク」作例におけるボラードの設置例。ちょっとした工夫と簡単な治具を作ることができれば、均一なパーツを量産することはそれほど難しくないことがわかる

▲艦首。フライホークのキットは舷窓の庇なども再現されるなど繊細で緻密なモールドが施され、船体のディテールアップがほとんど不要なのがありがたい

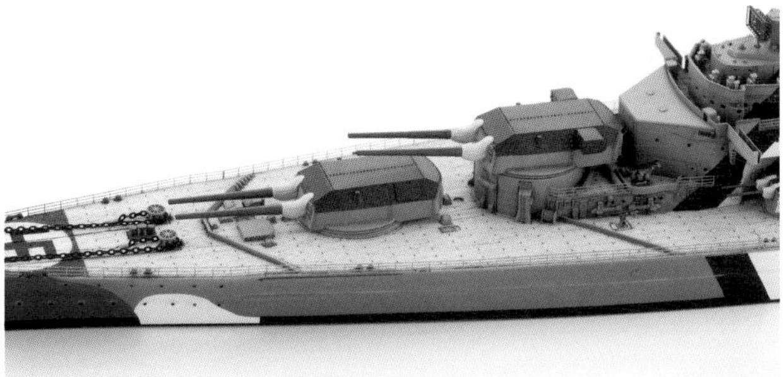

▲艦首側に搭載された１番砲塔（A砲塔）および２番砲塔（B砲塔）。上面の赤はタミヤ「プリンツ・オイゲン」用に調色したレッドを明度を落として使用

▲艦橋は下層からバルティック・スキームで塗り分けていく。黒は真っ黒ではなく少しだけ白を混ぜ、白には少しだけ軍艦色を混ぜて明度を落とす

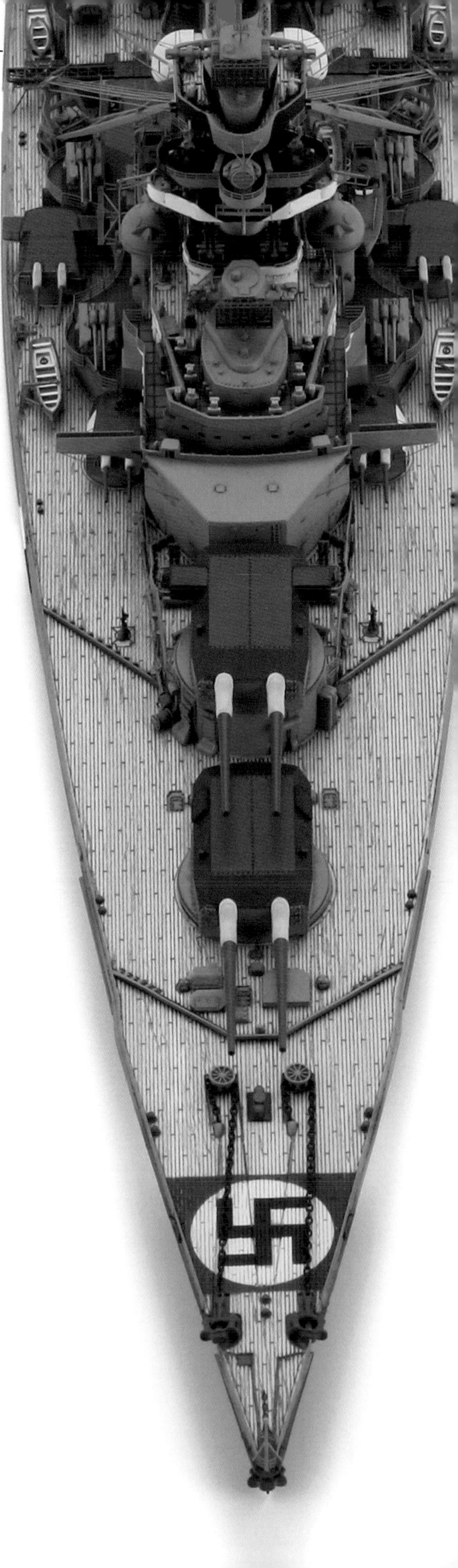

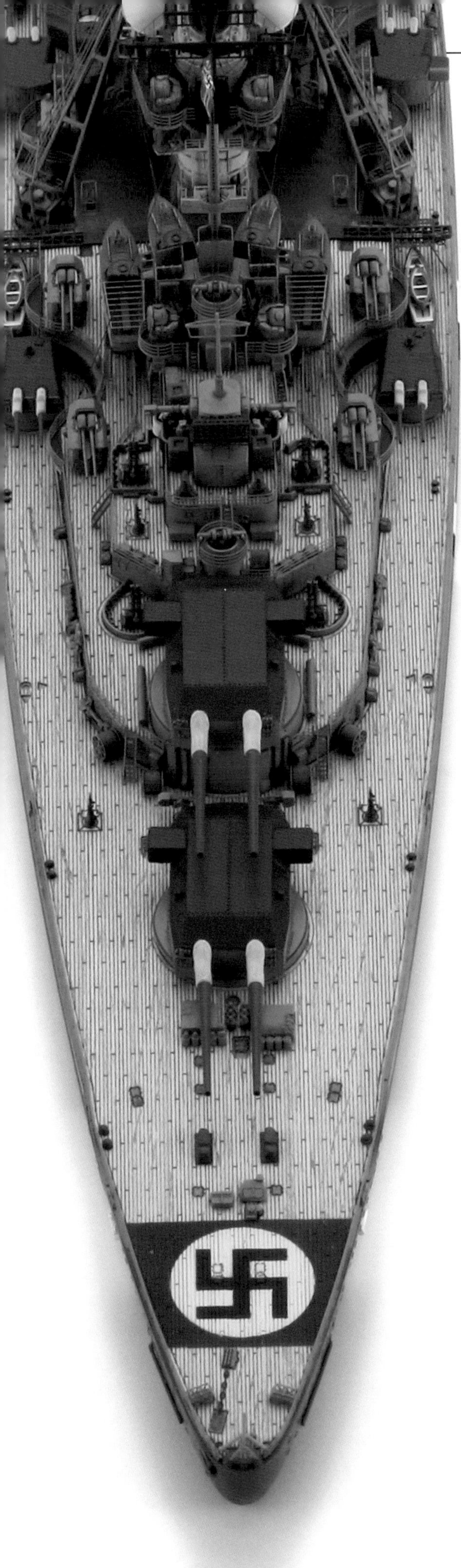

▲煙突両脇の格納庫上にある短艇搭載台は左右非対称だが、エッチングパーツはそれに対応していない。モールドをそのまま使用するのが簡単な解決方法

▲後マストは都合によりインフィニモデルのパーツを使用。マスト、信号所、探照灯フラット、短艇搭載台などの位置関係が複雑なので組み立ては慎重に

▲艦尾のモールドもほぼ完璧で修正はほとんど必要ない。迷彩パターンの塗装はパソコンで作った型紙に合わせマスキングテープをカットしたもので行った

▲船体側面のバルティック・スキームは、バルト海の中でドイツ艦艇を識別するマーキングで、バルト海を出てノルウェーに到着した時点で消去されている

▲大和型戦艦が完成するまでは、世界最大の戦艦だったビスマルク級だが、バランスが取れた非常に美しいフォルムで、塗装とマーキングの見映えも良好だ

▲艦首と艦尾に大きく描かれた対空標識のスワスチカ。バルティック・スキームと同様に、ノルウェーを出港した時点でグレーなどの船体色で消去された

▲艦首側、右舷2番主砲塔付近。上部構造物側面のモールドはキットのまま。対空兵装として側方に20mm C/38単装機銃、後方に3.7cm SKC/30連装砲を装備

▲右舷中央部。合計6基が搭載された15cm副砲連装砲塔の上面も赤で塗装されている。各砲塔上面色は時期によりダークグレー、イエローなども塗られた

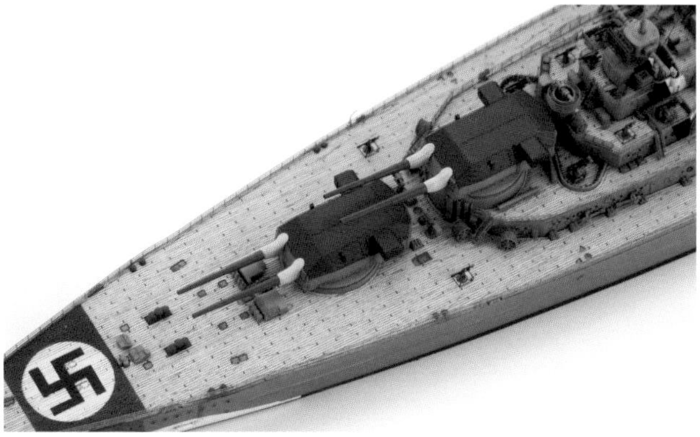

▲艦尾側、3番砲塔（C砲塔）および4番砲塔（D砲塔）。甲板のモールドはシャープだが、木甲板シートを貼る場合は事前にパーツとの合いを確認しておこう

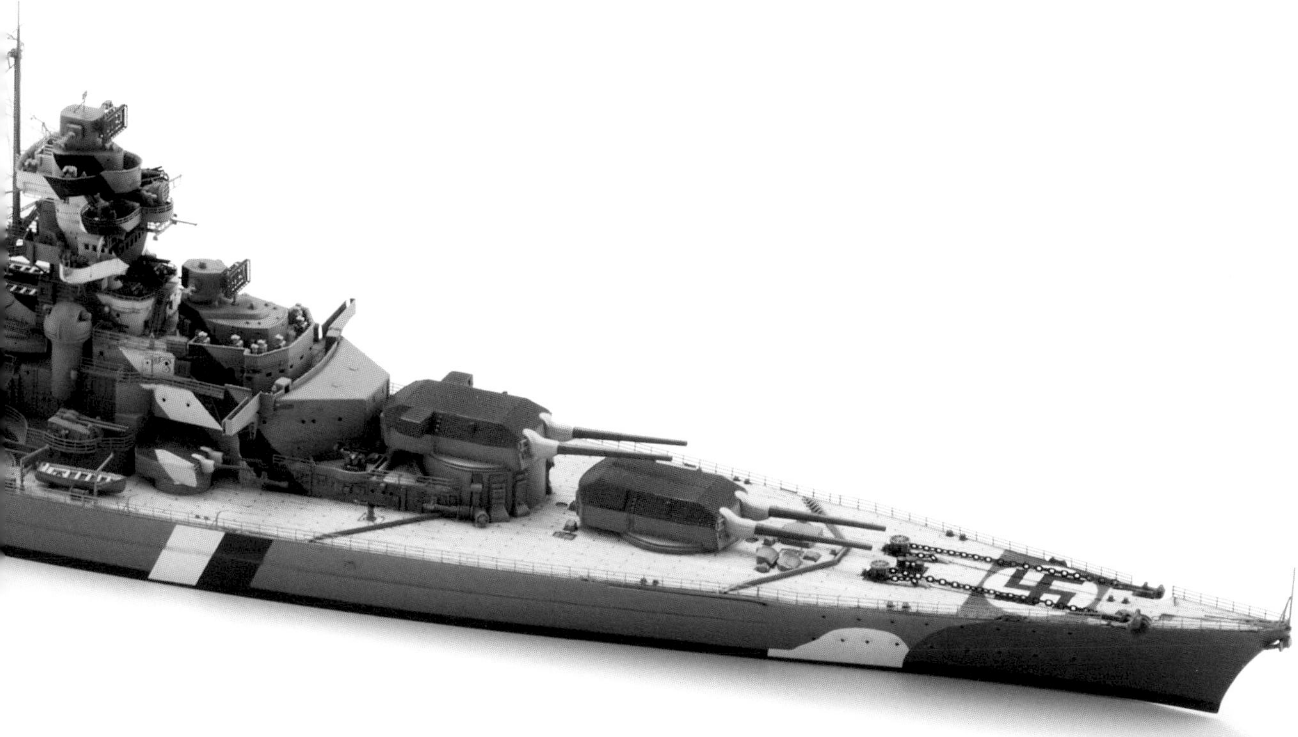

［作品ギャラリー・その7］

ドイツ海軍 戦艦 ティルピッツ

KRIEGSMARINE SCHLACHTSCHIFF TIRPITZ

第二次大戦で「ビスマルク」とともに連合軍に立ちはだかったのが2番艦「ティルピッツ」である。
ビスマルク級2番艦として1941年2月に就役、1942年以降はほとんど出撃せず
ノルウェーのフィヨルドなどに碇泊、実働はほとんどなかったが、
連合国の輸送船団にとっては大きな潜在的脅威として意識せざるを得なかった。
イギリスは1943年9月にX潜航艇による雷撃、1944年4月から空襲を続け、
11月12日にランカスター重爆撃機から投下された5t爆弾“トールボーイ”で完全に撃沈するまで、
その無力化に多大な労力を払わなければならなかった。

ドイツ海軍 戦艦 ティルピッツ

KRIEGSMARINE SCHLACHTSCHIFF TIRPITZ

【製品データ】
◆戦艦 テルピッツ
◆発売元／ドイツレベル
◆販売元／ハセガワ
◆4800円＋税、発売中
◆1/700、約35.9cm
◆プラキット

▲ティルピッツ」は同型艦「ビスマルク」との相違点が意外と多く、各社キットも一長一短。1/700フルハルモデルではドイツレベルのキットがおすすめ

◀「ビスマルク」から遅れること約半年後の1941年1月23日に就役した「ティルピッツ」は、わずかな作戦行動の他はノルウェーのフィヨルドで過ごした

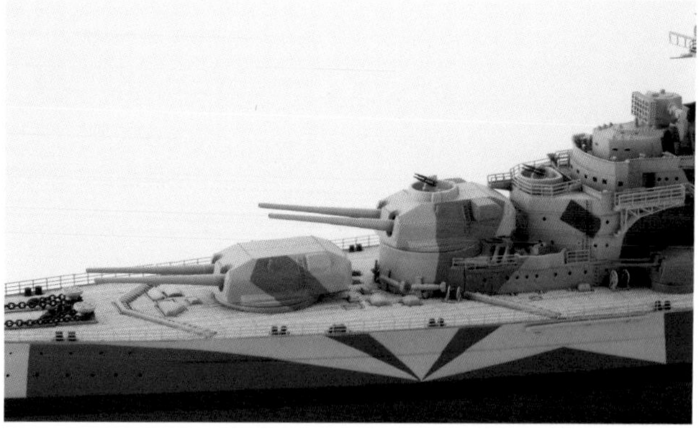

▲キットの主砲は砲身が可動式だが接着固定し、砲身をアベールの金属砲身に交換。アベールのパーツはドラゴン用のため加工する必要があった

▲2番砲塔上面とその直後に装備された2cm四連装機銃は真鍮線とプラ材から自作。砲塔後部の3.7cm高角砲も同様に自作パーツを使用している

キットについて

2016年の作品です。1942年時の仕様で製作しています。ビスマルク級戦艦は人気艦であることから、さまざまなメーカーからキットが発売されています。しかし「ビスマルク」はフライホークの最新キットがあるものの、2番艦「ティルピッツ」はいずれのキットも発売から時間が経っており、決定版がないというのが現状です。よってどれを選ぶかは好みの問題と言えそうで、ベストを望むなら各メーカーのパーツをいいとこ取りするしかないでしょう。ドイツレベルの本キットはフルハルとして製作するならよい選択だと思います。

ディテールアップパーツは、エデュアルド「テルピッツ用エッチングパーツ レベル用」(品番17038)、アベール「ビスマルク級砲身セット(38cm主砲8本、15cm砲12本、10.5cm砲16本)」(品番97L31)、アートウォックス「独戦艦 ティルピッツ 甲板用マスキングシート 木製甲板付」(品番AM20009A)、フライホーク「WWII ドイツ海軍 テルピッツ用金属マスト」(品番FH700153)を使用しています。

製作

船体は艦底も含めた左右張り合わせ式で、舷窓の庇やモンキーラッタルなどがモールド表現されていますが、一部ヒケが見られたため、モールドをすべて削り落としてから修正を行いました。舷窓の縁もいったん伸ばしランナーで埋めてからドリルで彫り直しシャープに。艦底のスクリュー部分パーツ周囲の隙間は瞬間接着剤で埋め、スクリューロッドは真鍮線に置き換え。

甲板はほぼ木甲板シートを貼るだけですが、不要な盛り上がりを防ぐため艦首甲板はほとんどのモールドを削り落としてフ

使用アイテム

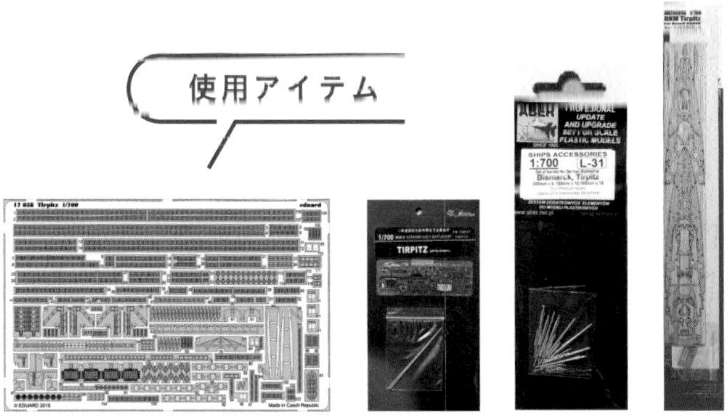

▲左から、エデュアルド「テルピッツ用エッチングパーツ レベル用」（品番17038）、アベール「ビスマルク級砲身セット（38cm主砲8本、15cm砲12本、10.5cm砲16本）」（品番97L31）、アートウォックス「独戦艦 ティルピッツ 甲板用マスキングシート 木製甲板付」（品番AM20009A）、ライホーク「WWIIドイツ海軍 テルピッツ用金属マスト」（品番FH700153）

▲艦中央部。一見すると「ビスマルク」と変わらないように見えるが、左右に広げられた飛行機作業甲板、副砲前方の魚雷発射管などが異なる

▼上面から見た船体形状は素直な曲線で構成されており、30ノットの高速も納得できる。ほとんどは木甲板だが、中央部のみ鋼板張りとなる

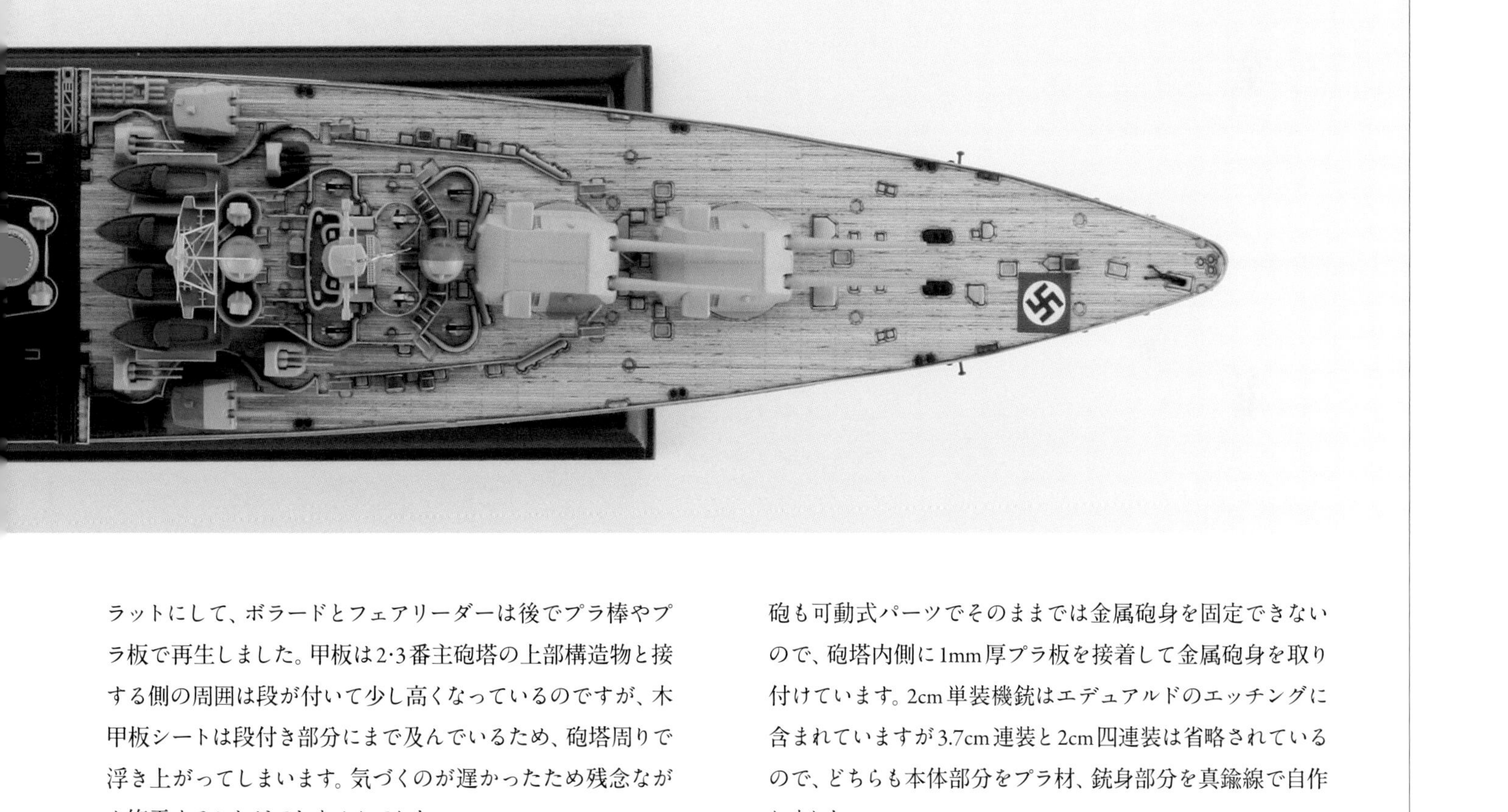

ラットにして、ボラードとフェアリーダーは後でプラ棒やプラ板で再生しました。甲板は2·3番主砲塔の上部構造物と接する側の周囲は段が付いて少し高くなっているのですが、木甲板シートは段付き部分にまで及んでいるため、砲塔周りで浮き上がってしまいます。気づくのが遅かったため残念ながら修正することができませんでした。

キットの艦橋パーツは背面パーツを3分割し、階層ごとに合わせ目の修正や迷彩塗装ができるようにしました。合わせ目修正で消える側面のモールドはほぼすべて削り落とし、プラ材で水密扉などで再生。階段部分はより精密感の高い汎用のエッチングラッタルに交換しています。

アベールの金属砲身はドラゴン用のためキットのパーツに一部加工を施します。また砲身が可動式ですが強度がないので、根元を接着固定してから金属砲身を取り付けました。副砲も可動式パーツでそのままでは金属砲身を固定できないので、砲塔内側に1mm厚プラ板を接着して金属砲身を取り付けています。2cm単装機銃はエデュアルドのエッチングに含まれていますが3.7cm連装と2cm四連装は省略されているので、どちらも本体部分をプラ材、銃身部分を真鍮線で自作しました。

迷彩塗装の塗色は、組立説明書の塗装図はレベルカラーでの指定なので、Mr.カラーに置き換え、個人の感覚で調色しましたが、一番濃いグレーにMr.カラーC36 RLM74グレーグリーンを使用したのは間違いだったと思っています。経験上、真夜中に調色した色を翌日見てみると思っていた色と違っていたということが多々あるので、調色は日中自然光のもとで行うのがベストと思います。

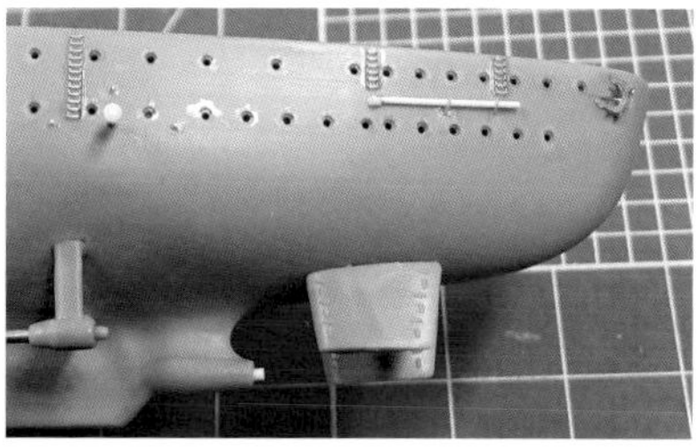

◀舷側をディテールアップ。舷窓は伸ばしランナーで埋めフラットにしてから再度開口しシャープに仕上げる

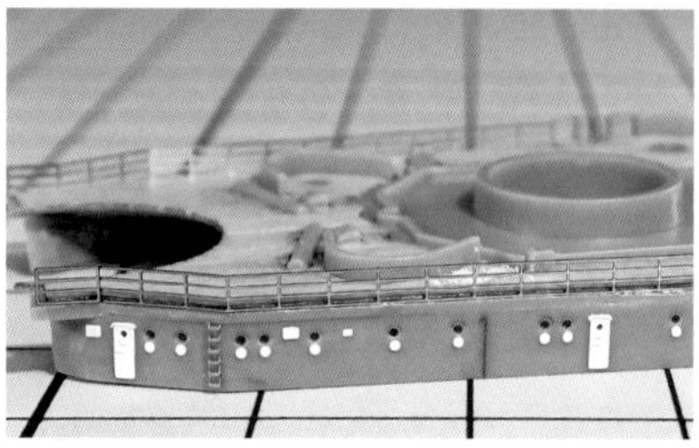

◀上部構造物の工作。パーツ側面はいったんフラットに整えてからプラ材でディテールを再度追加した

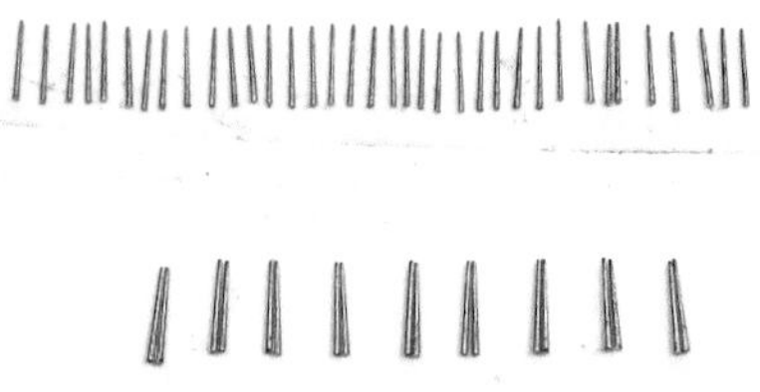

◀2cm単装以外の対空機銃は自作で、銃身は真鍮線から。手前が3.7cm L/38 C/30機銃、奥が2cm L/65 C/38機銃

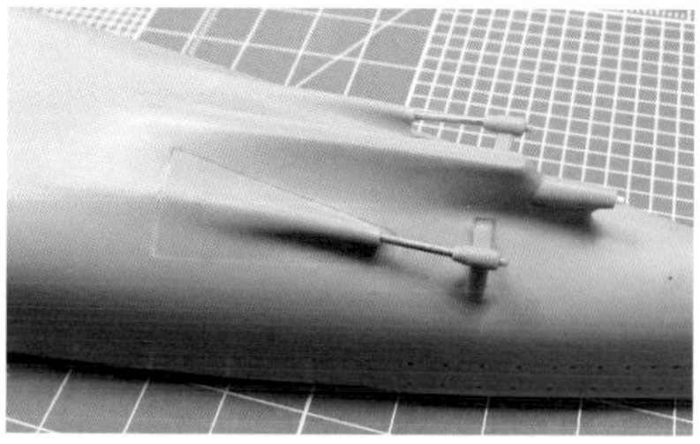

◀艦底後部のエディプレートなどのパーツは瞬間接着剤で隙間を埋め、プロペラシャフトは真鍮線に交換した

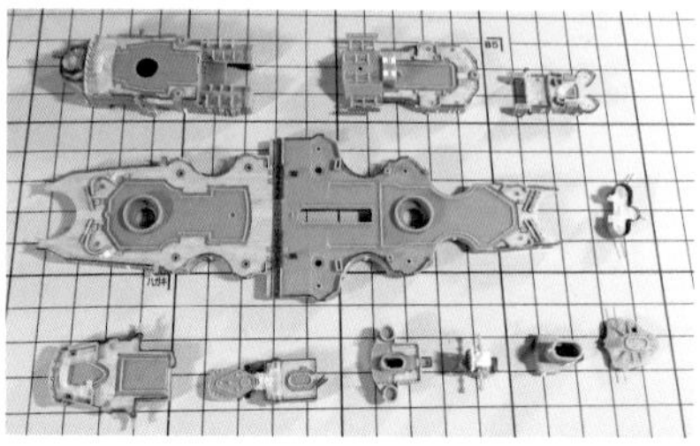

◀ディテールアップを終えた上部構造物のパーツ。艦橋は工作や迷彩塗装の便を考えて階層ごとに分割している

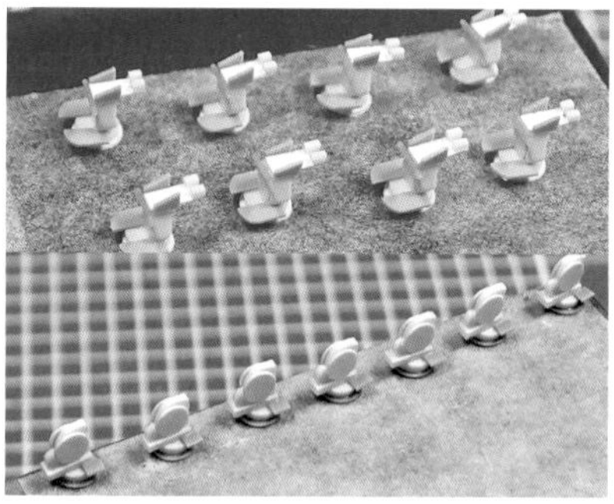

◀機銃の本体は各種プラ材からのスクラッチビルド。上が3.7cm L/38 C/30機銃、奥が2cm L/65 C/38機銃

◀作例は1942年初め頃から1943年初め頃まで塗装されていた迷彩パターンで塗装。左側面は比較的単純なパターンの塗り分けのスプリンター（破片）迷彩

▲右側面は左側とは異なり、「ダズル迷彩」という進行方向や艦の形状を混乱させるタイプ。1944年中期より左舷に近いパターンに変更される

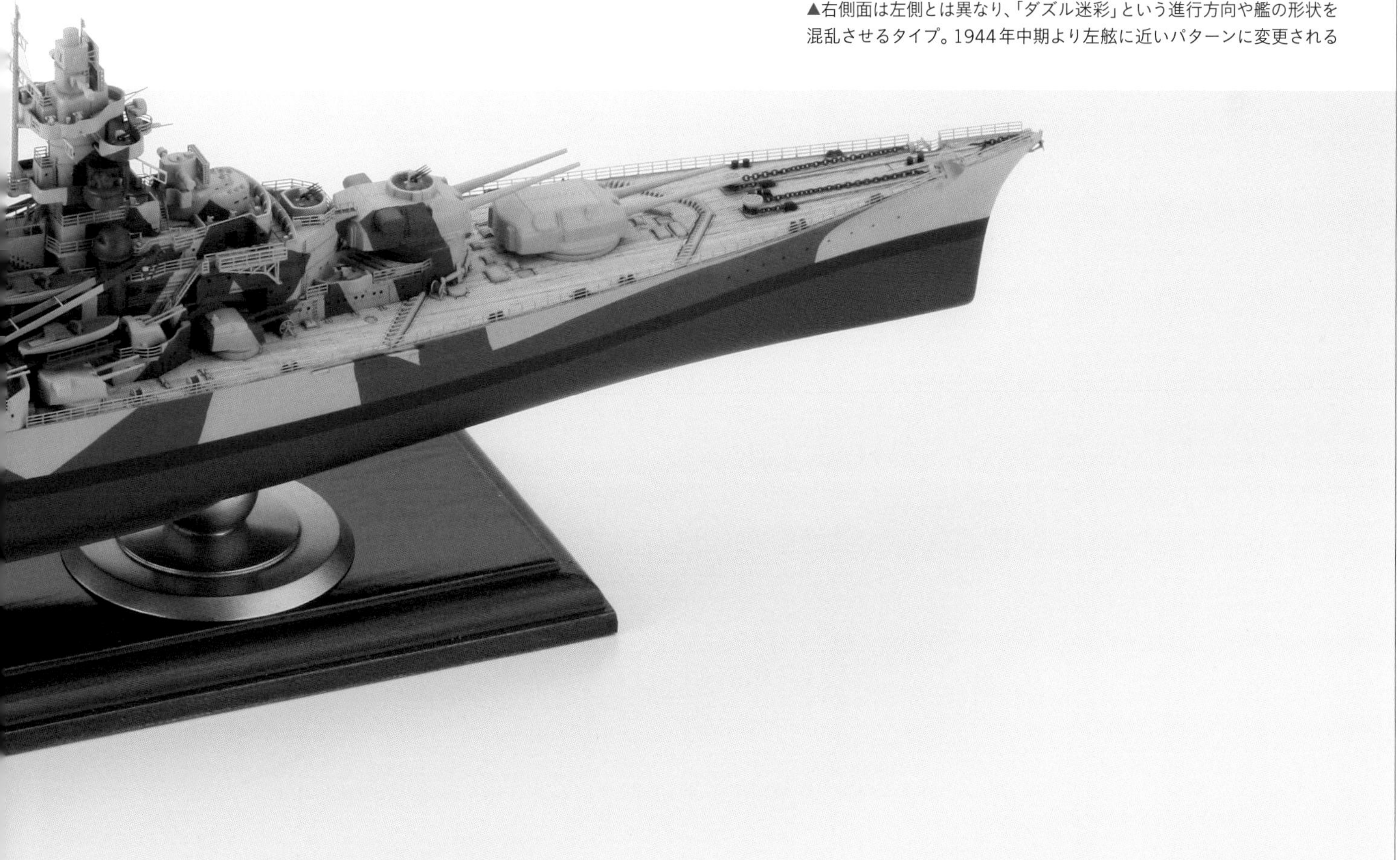

▲ドイツレベルのキットはフルハルモデルとして製作するなら現時点でのファーストチョイスだが、決定版のニューキットの発売も期待したい

BUILDING THE 1/700scale WARSHIP MODELS Ship modeling techniques & tips

艦船モデル 超絶製作テクニック

STAFF

模型製作・写真・文 Modeling, Photo & Text
大渕 克 Masaru Oobuchi

文 Text
竹内規矩夫 Kikuo Takeuchi

写真・図版 Photo & Drawing
インタニヤ Entanya
久保田憲 Ken Kubota
平賀譲 デジタルアーカイブ（東京大学柏図書館）
Yuzuru Hiraga Digital Archive
アメリカ海軍 U.S. Navy

編集 Editor
望月隆一 Ryuichi Mochizuki
石井栄次 Eiji Ishii

デザイン Design
吉良伊都子 Itsuko Kira（BAKERU）
井上小夜子 Sayoko Inoue（BAKERU）

艦船モデル 超絶製作テクニック

2020年5月30日 初版発行

編集人 星野孝太
発行人 松下大介
発行所 株式会社ホビージャパン
〒151-0053 東京都渋谷区代々木2丁目15番8号
Tel. 03-6734-6333（編集）
Tel. 03-5304-9112（営業）
URL：http://hobbyjapan.co.jp/
印刷所 株式会社廣済堂

乱丁・落丁（本のページの順序の間違いや抜け落ち）は購入された店舗名を明記して当社パブリッシングサービス課までお送りください。送料は当社負担でお取り替えいたします。ただし、古書店で購入したものについてはお取り替えできません。

Printed in Japan
ISBN978-4-7986-2193-7 C0076

Publisher/Hobby Japan.
Yoyogi 2-15-8, Shibuya-ku, Tokyo 151-0053 Japan
Phone +81-3-6734-6333 +81-3-5304-9112